池上彰の若い読者のための
アジア現代史

❶大韓民国・朝鮮民主主義人民共和国

著＝池上彰

あすなろ書房

池上彰の若い読者のための
アジア現代史

①大韓民国・朝鮮民主主義人民共和国

目次

朝鮮民主主義人民共和国

現代史

キーワード

ブックデザイン：城所潤＋大谷浩介（ジュン・キドコロ・デザイン） 装画：タケウマ 写真提供：株式会社アフロ

大韓民国

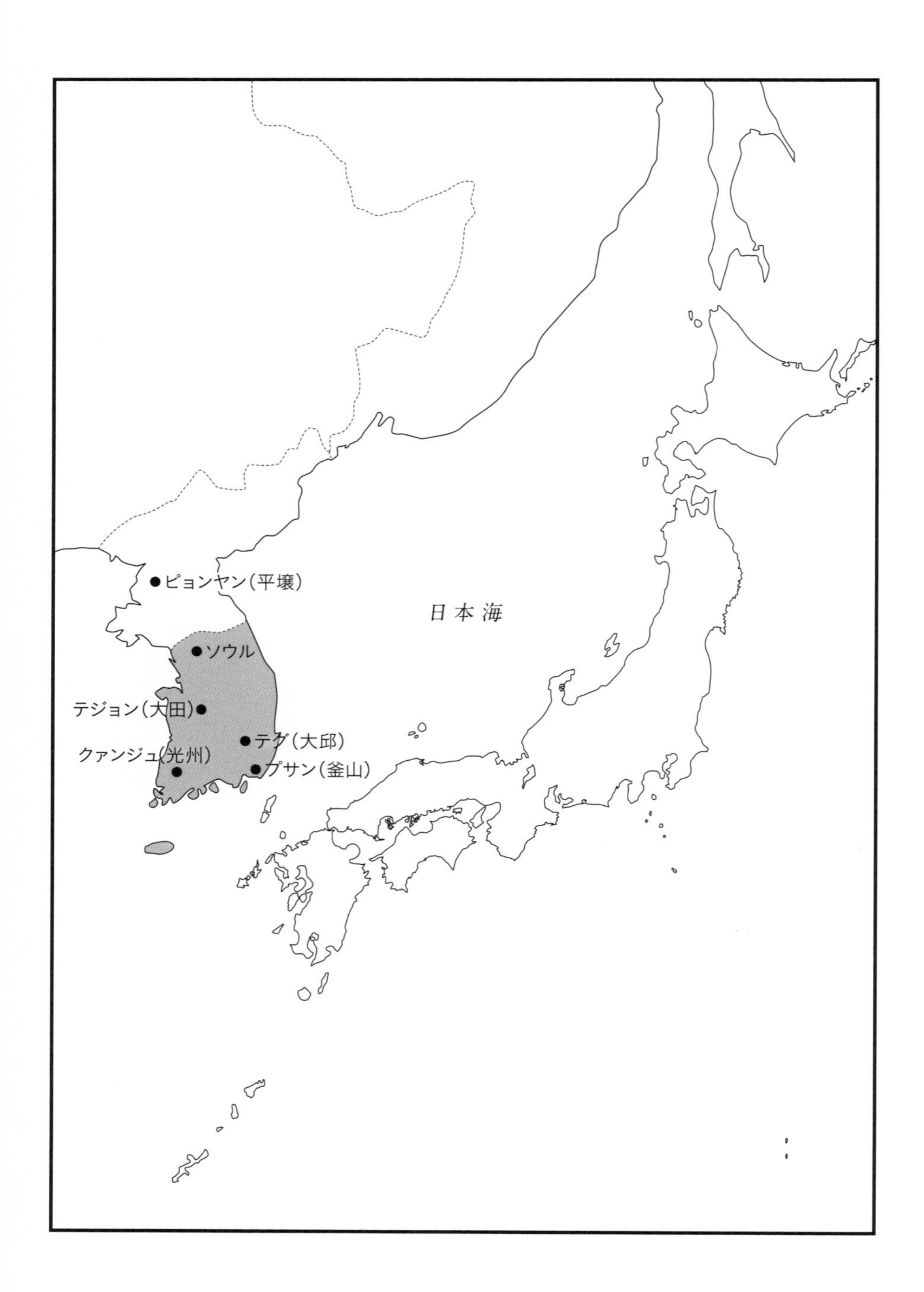

ピョンヤン(平壌)
日本海
ソウル
テジョン(大田)
テグ(大邱)
クァンジュ(光州)
プサン(釜山)

国のようす

国土と気候

一般的に韓国と呼んでいる国の漢字での正式名称は「大韓民国」。韓国語では「テハンミングッ」といいます。英語では「Republic of Korea（リパブリック・オブ・コリア）」で、北朝鮮と区別するために「South Korea（サウス・コリア）」と呼ばれることもあります。

国土の面積は約一〇万平方キロメートルで、朝鮮半島全体の四五パーセントを占めます。日本は約三七万八〇〇〇平方キロメートルですから、日本の四分の一ほどの面積です。

朝鮮半島の東側には太白山脈が南北に走っています、そのため、韓国の北東部は山岳地帯が多く、国土の七〇パーセントを山地が占めています。ただ、標高の高い山は少なく、その六五パーセント以上が五〇〇メートル以下の低い山です。

その太白山脈を源に、西側や南側に広がる平野部に川が流れています。そして、国を囲む三方の海には三〇〇〇以上の島があります。

韓国は、地理的に中緯度温暖性気候帯に位置していて、日本とおなじように四季があります。冬は大陸性高気圧の影響を受けるので、乾燥して気温が下がります。一方夏は、北太平洋高気圧の影響が大きく、日本同様、高温で多湿の日が多くなります。春と秋は比較的乾燥していて、晴れの日が多くなります。

地域にもよりますが、年間の寒暖差が大きく、日本より春夏秋冬がはっきりしていて、一日の中でも寒暖の差が大きいのが韓国の気候の特徴といえるでしょう。

また、韓国には活火山がなく（一部の島にはありますが、ほとんど活動していません）、地震がほとんどありません。都市部に高層マンションが立ち並んでいるのも、この地震のないことが影響しています。

軍事境界線

朝鮮半島をほぼ二分するかたちで韓国と北朝鮮が存在しています。この二国の境界線は、正確には国境ではありません。

一九五〇年に始まった北朝鮮と韓国との朝鮮戦争は、一九五三年七月に休戦協定が結ばれました。しかし終戦には至っておらず、現在も休戦状態のままであるため、国を分ける地帯は国境ではなく「軍事境界線」とされているのです。

軍事境界線から北へ二キロメートル、南へ二キロメートル、合わせて四キロメートルの帯状の地域は休戦条約によって非武装地帯（ＤＭＺ）に設定されています。どちらの軍の施設も設置できず、立ち入ることもできないことになっています。

この軍事境界線上、ソウル市の北北西にあるのが板門店で、南北の共同警備区域になっています。ここには「軍事停戦委員会」と「中立国監督委員会」が設置され、中心には本会議場があります。

連合国軍（主に韓国軍）と朝鮮人民軍の兵士が同時に警備している様子は、南北分断の象徴ともいわれ、事前に手続きをすれば見学ができるようになっています。

非武装地帯(DMZ)を警備する韓国軍兵士(1982年3月29日)

民族と宗教

人口は約五一七〇万人（二〇二二年）で、そのほとんどが朝鮮民族です。日本や中国など、漢字が使われている国では朝鮮民族といっていますが、韓国では、韓民族と呼んでいます。

日本と同じように少子化が進み、出生率は二〇一八年に〇・九八となって、世界で唯一、一・〇を下回る国となりました。その後も低下は続き、二〇二二年には〇・七八まで下がりました。それにともない、二〇一九年を境に人口は減少する傾向にあります。

韓国に最初に伝わった宗教は仏教で、三国時代（四世紀から七世紀にかけて新羅、高句麗、百済の三国が対立）に、中国大陸から入ってきました。その後一四世紀に国名が朝鮮となり、その時期に仏教に代わって儒教が広められました。国民に浸透した儒教の精神は、韓国の習慣や文化に大きな影響を与えています。

韓国にキリスト教が広まったのは一八〇〇年代のことで、教会は学校や孤児院を建設し、また日本支配からの独立運動の先頭に立ち、信者を増やしていきました。現在は、キリスト教徒は国民の約二八パーセント（プロテスタント二〇パーセント、カトリック八パーセント）で、仏教徒が約一五パーセント、半分の国民は無宗教です。

政治

政治体制は共和制で、三権分立を定めており、日本と似ています。ただ、大きく違うのは、大統領がいるところです。

韓国の大統領は国家元首で、国民の直接選挙によって選ばれます。任期は五年で、再選はありません。大きな特徴は、他国の大統領に比べて権力が集中していること。軍の最高司令官であり、首相にあたる国務総理の任命権もあります。さらには法案の拒否権、憲法改正の提案権などがあり、大統領は大統領秘書室や国家情報院といった直属の機関を持っています。

この大統領への権力の集中が、数々の汚職事件の原因になっているともいわれています。これについては「現代史」の部分で述べますが、さまざまな業界や団体が便宜を図ってもらおうと、大統領の家族や親族に近づくため、任期も終盤になってくると、本人や周辺の汚職や不正蓄財が明るみに出たりするのです。

また、韓国やアメリカでは、政権が終わりごろになってくると、大統領や政府が「レームダックの状態」と表現されることがしばしばあります。レームダックとは「よたよた歩きのアヒル」という意味で、影響力を失うことをいいます。つまり大統領の再選がないので（アメリカは二期まで）、期待は次期大統領や次期政権に集まり、現職は指導力を発揮できなくなるのです。

日本では首相の再選が認められているため、このようなことはあまりありません。その一方で長期政権が可能なため、政権与党に都合の悪いことは放置され、改革が進まないこともあります。

議会は一院制で議員の定数は三〇〇人です。国会議員の任期は四年で、小選挙区比例代表並立制で国民の投票によって選ばれています。

政党は複数存在しますが、与党の「国民の力党」と最大野党の「共に民主党」が二大政党になっていて、勢力でも拮抗する状態になっています（二〇二三年現在）。

地方自治は一七の広域自治体（第一級行政区画）があり、これが日本の都道府県にあたります。首都であるソウルは特別市で、一〇〇〇万近くの人がここに暮らしています。つまり、国民の約五人に一人が、ソウルに住んでいるということになりますね。その他六つの広域市、八つの道、一つの特別自治市と一つの特別自治道があります。

韓国の大統領府は「青瓦台」（日本語読みで青瓦台）と呼ばれ、歴代の大統領がここで政務をとりおこないました。元は日本統治時代の朝鮮総督官邸で、屋根が青い瓦で葺かれていることからこの名称になり、アメリカの「ホワイトハウス」と同様、政府を象徴する建物でした。

二〇二二年五月に就任した尹錫悦大統領は、「青瓦台は帝王的な大統領のイメージの象徴である」として、大統領府の機能を国防省のある建物へ移転させました。現在、青瓦台（チョンワデ）は大統領府としての役目を終え、一般に公開されています。

文化

韓国ドラマの時代劇（げき）などで見られる、朝鮮地域の民族衣装（いしょう）を韓国では韓服（ハンボク）と呼び、北朝鮮では朝鮮服（チョソンノッ）と呼んでいます。伝統的な衣装（いしょう）で、日本の着物のようなものですね。チマチョゴリが有名ですが、チョゴリは上半身の衣服で、女性用の下半身の衣服をチマと呼ぶことから、女性用をチマチョゴリといいます。ちなみに男性用の下半身の衣服はパジで、男性用はパジチョゴリといいます。

韓服（ハンボク）は韓国の伝統衣装（いしょう）ですが、素材や色彩（しきさい）、デザインなどは、時代の生活様式や文化によって変化してき

2022年に一般公開され、ソウルの人気観光地となった青瓦台（チョンワデ）

ました。

そういった韓国の伝統的衣装（いしょう）をわれわれが目にできるのが、映画やドラマです。

韓国の映画やドラマがアジアに広まりはじめたのは、一九九〇年代の終わりごろでした。二〇〇〇年代に入って日本にも輸入されはじめ、主婦層（そう）を中心に「韓流（はんりゅう）ブーム」が起こります。その火付け役といえるのが二〇〇三年から日本で放送された『冬のソナタ』でした。主演のペ・ヨンジュンが初来日したときには、五〇〇〇人ものファンが羽田空港に押（お）し寄せ、「ヨン様」ブームとまでいわれました。

その後、時代ドラマの『宮廷女官チャングムの誓（ちか）い』やチャン・グンソク主演の『美男（イケメン）ですね』など、多くの韓国ドラマや映画が日本で人気を得て、ブームとされていたものが「韓国ドラマ」「韓国映画」という一つのジャンルにまでなったのです。

さらに新たなジャンルになったのが、K-POPです。

そもそも韓国は一九六〇年代から一九八〇年代にかけて軍事独裁体制が敷（し）かれていて、音楽だけでなく映画やドラマ、本までも「反体制的」とされるものが禁止されていました。ここに含（ふく）まれていたのが日本文化で、つまりこの時代には日本の音楽も聴（き）くことができず、日本の小説も読むことができませんでした。

これが解禁になったのが一九九〇年代の半ばから後半にかけてでした。文化に関するさまざまな法律が改正され、日本をはじめ、世界の文化に触（ふ）れることができるようになったのです。こうした流れを背景に、世界の音楽に影響を受けたミュージシャンたちが登場します。彼らの大きな市場が、アジアであり日本だったのです。人口が二倍以上で芸能が産業としても成熟していた日本は、韓国アーティストが目指すマーケットになりました。

二〇〇〇年代に入ると、東方神起、ＢＩＧＢＡＮＧ、少女時代、ＫＡＲＡなどのグループが誕生し、成功をおさめます。日本だけでなく世界に飛び出していきました。

ＢＴＳ（防弾少年団）は、二〇二一年九月、国連総会に二度目の出席をし、ＳＤＧｓについて演説を行いました。また二〇二二年五月にはアメリカのバイデン大統領にホワイトハウスに招かれ、ヘイトクライムに関して意見を交わすなど、その影響力をさまざまな活動に広げました。

バイデン大統領の招きでホワイトハウスを訪問したBTS（2022年5月）

食文化

韓流ブームは、食においても日本に大きな影響を与えました。それ以前の日本でよく知られている朝鮮半島の代表的な食べ物といえば、キムチや韓国焼肉くらいのものでした。韓流ブームによって韓国への観光客が急増し、多くの日本人が韓国料理に親しむことになりました。のり巻きのキンパやお菓子のホットク、味のしっかりついた韓国のりや甘辛い韓国チキンなど、多くの韓国の食べ物が、日本に浸透していきました。

ただ、ドラマや映画を見て、食事の場面に違和感を覚える人も多くいると思います。西洋違って、韓国も日本と同様にご飯を食べ、箸を使うので、つい似たしきたりを想像してしまうのでしょう。

まず韓国では、床に座る場合、男女ともにあぐらをかいて座ります。片ひざをついて座ることもありますが、「お行儀が悪い」とはいわれません。

そしてテーブルにあるのは金属の箸とスプーン。このどちらかを使って食べるのですが、箸を使うのはおかずだけ。つまりそれ以外、ご飯も汁物もスプーンで食べます。さらには、ご飯でもスープでも器は手に持たず、テーブルに置いたまま食べます。日本では「お茶碗を持って食べなさい」といわれそうですが、国が違えば常識も違ってくるということですね。

どんな食卓にも欠かせないのはキムチです。白菜を使った赤くて辛いのが一般的ですが、辛くないものや大根やネギのキムチなど、種類も豊富です。家庭でも大量に消費されるので、キムチ専用の冷蔵庫があるほどです。

スポーツ

テコンドーは韓国の国技で、一九八八年のソウルオリンピックで公開競技として採用され、二〇〇〇年のシドニーオリンピックで正式競技として実施されました。二〇〇か国以上に普及し、競技人口も七〇〇〇万人を超えています。

漢字では跆拳道と表し、「跆」は「踏む・蹴る・跳ぶ」という意味で、「拳」は「拳で突く」ということ。空手に似ていますが、空手に比べて、足を使った蹴り技が多く、試合では防具を着用します。

人気で一番のスポーツは、やはりサッカーでしょう。プロのトップリーグ「Ｋリーグ１」には一二のクラブがあり、その下の「Ｋリーグ２」にも一三のクラブが存在します。

二〇〇二年には、アジアで初となるＦＩＦＡワールドカップが日本と韓国の共同開催で行われ、日本は決勝トーナメントの初戦で敗れましたが、韓国は準決勝まで進みました。「現代史」の章で述べますが、日本と韓国はさまざまな歴史背景から、「お隣同士で仲が良かった」ことは一度もありません。そんな日韓の歴史のなかで、このワールドカップは、共催の成功に向けて両国民が一つに盛り上がった一瞬かもしれません。

また、野球も人気スポーツの一つ。ＫＢＯリーグというプロ野球リーグがあり、全国に一〇球団が存在しています。アメリカのメジャーリーグにも多くの選手を送り出し、日本のプロ野球でも多数の選手が活躍しています。

以前は富裕層のスポーツとして一般にはあまりなじみのなかったゴルフですが、近年では女子選手の活躍もあり、人気の高いスポーツになっています。ゴルフ専門の高校もあるほどで、女子では世界ランキング一〇〇位のうち、三〇人以上（二〇二三年現在）を韓国選手が占めるほどになっています。

そしてオリンピックなどで圧倒的な強さを見せているのが、アーチェリーです。二〇二一年の東京オリンピックでも、五種目中四種目で金メダルを獲得。過去のオリンピックにおいても、世界最多のメダル数を誇っています。

その強さの秘密は、充実した競技環境と裾野の広さにあります。一九八八年のソウルオリンピックに向けて、韓国ではさまざまな競技の選手強化に努めましたが、そのなかでアーチェリーを全面支援したのが、巨大企業の現代グループでした。全国に一五〇以上もアーチェリークラブやスクールがあるといわれ、小学生から指導者について競技を始めることができます。

教育

韓国の義務教育は初等学校（小学校）の六年と中学校の三年で、日本と同じです。初等学校は男女共学ですが、クラスは男女別になっています。中学校からは男女別ですが、共学の学校も増えています。

高校は三年で、高校進学率は九九パーセント以上。ただ、韓国では、高校は大学の準備期間とされているため、基本的に高校受験はありません。かつては高校受験があったのですが、そのために過熱した校外学習を抑えるために、一九七四年に高校標準化制度が導入され、抽選で地域の高校に振り分けられるようになったのです。

受験が必要なのは、芸術、体育、外国語などを重点とする特殊目的高校や、成績優秀なエリートを集める科学高校などと私立学校で、いずれも狭き門になっています。

最も重要とされているのが大学進学。韓国の大学進学率は七〇パーセントを超え、そのため高学歴社会と呼ばれています。その大学に進むために突破しなければならないのが「大学修学能力試験」、通称「スヌン」です。これは日本の大学入学共通テストにあたるもので、この成績が入学できる大学を決めることになるからです。

スヌンは毎年一一月に行われます。この時期の韓国は、受験ムード一色になります。遅刻しそうになった受験生を警察官がパトカーや白バイで送っていく光景は、ニュースでもおなじみですが、それだけではありません。受験会場では、先輩大学生たちが応援団のように集まり、受験生を励まします。ヒアリング試験の時間になると、周辺では電車も自動車も徐行運転。もちろんクラクションは禁止です。街のあちこちで縁起をかつぐ「合格グッズ」が売られ、親たちは寺院や教会に行って子供の合格を祈ります。

これほどまでに社会を巻き込む受験は、韓国にしか見られないもの。そこには、大学が一生を左右する、という現実があるからです。

かつては日本も学歴社会と呼ばれました。高校受験、大学受験を経て有名大学を卒業すれば、一流といわれる企業に就職できて、安定した生活を得られるというもので、これをさらに過激にしたものが、韓国の現状といっていいでしょう。

ですから韓国の学校には、「部活」というものがありません。授業が終われば、多くの小中学生は「学院（塾）」に通います。そして多くの高校では「自律学習」が行われています。これは塾に通う費用の軽減のために始まったもので、朝は七時から、授業後は夜九時や一〇時まで学校を開放し、受験のための自習を行うというものです。自律ですから基本は学生の意思で自習するものですが、強制になっている高校も少なくありません。韓国の高校は、夜遅くまで電気が消えることはありません。そしてその後、さらに学院に通う高校生もいるのです。

大学修学能力試験に遅れそうになった受験生を送る警察官

韓国には「四当五落」という言葉があります。睡眠時間が四時間までなら志望大学に合格し、五時間も寝るようでは落ちるというものです。日本でも一九六〇年代に流行した言葉です。アルバイトなど、する時間はとてもありません。いかに大学によって就職や将来が左右されるかがわかります。

デモ

韓国では、政治判断や事件に抗議するデモがひんぱんに行われます。これも韓国の文化の一つといえるでしょう。

その背景には、韓国の人たちには、民衆の力で民主化を勝ち取った歴史があります。それが成功体験として、国民の意識に根付いているからです。「現代史」の章でくわしく述べますが、一九六〇年、李承晩政権を倒したのは、学生や市民の抗議運動でした。さらには一九八〇年の光州事件も、軍事政権を終わらせた全国的な民主化運動に発展しました。

このように、民衆の力が政治体制を変えた経験があるので、デモが民意の表明の場になっているのです。

近年、最も規模の大きかったデモは、二〇一六年の、朴槿恵大統領の退陣を求めるデモでした。市民がロウソクを手に広場に集まったことから「ロウソク集会」「ロウソク革命」と呼ばれ、回を重ねるごとに増えた参加者は、一二月にはソウル市だけで二〇〇万人を超えたといわれます。この市民の圧力に、国会は大統領弾劾動議を可決し、大統領は退任を余儀なくされ、その後、懲役刑をいい渡される結果になったのです。

徴兵制度と兵力

一九五〇年に起こった朝鮮戦争は現在休戦中。つまり朝鮮半島では、いまだに戦争が終わっていない状態が続いています。このような背景もあり、韓国のすべての成人男性には兵役の義務が課せられています。K-POPのスターなどが、兵役のために活動を休止する、というニュースを聞いた人も多いと思います。

実際に兵役につく期間は「現役」と「補充役」があり、除隊してからの八年間を「予備役」、その後満四〇歳までを「民防衛」と呼びます。入隊してから四〇歳までの期間、軍の一人として義務を果たさなければなりません。もし戦争が再開されたら、軍に戻って戦わなければなりません。

兵役拒否は一切認められていませんが、文化やスポーツにおいて、優秀な成績をおさめた人は、兵役が免除される場合もあります。

現役の服務期間は、配属先にもよりますが、およそ一八か月から二二か月。この間、厳しい軍事訓練を行いながら、配属先での任務をこなしていきます。朝鮮戦争が終結していないとはいえ、実際の戦闘状態にないことから、時代を経るにつれて服務期間は短縮されています。

大学生は、在学中に兵役に就くことが多く、除隊して大学に戻った学生を「復学生」と呼んでいます。そうなると、女子のほうが二年早く卒業することになり、大卒男子は社会に出るのがそれだけ遅くなります。

大韓民国軍の兵士の数は、陸軍四六万四〇〇〇、海軍（海兵隊を含む）七万、空軍六万五〇〇〇で、合わせて約六〇万人になります。また海上戦力は約二四〇隻、航空戦力は、空軍と海軍を合わせて、約六二〇機を保有しています。

朝鮮戦争で韓国を支援した国連軍が、休戦後もそのままとどまっているのが在韓米軍です。陸軍、海軍、空軍、海兵隊を合わせておよそ二万九〇〇〇人のアメリカ軍兵士が韓国に駐留しています。

休戦中であり、いつ北朝鮮が攻撃してくるかわからないから、という理由で韓国にとどまっている在韓米軍ですが、朝鮮半島にアメリカ軍がいることで、中国やロシアの活動をけん制しています。

二〇一九年、当時のアメリカのトランプ大統領は、韓国がアメリカに支払っている駐留経費の負担金を五倍にするように要求し、韓国がこれを断ったことから、全面撤退を考えました。しかし国務長官などによる説得で、撤退を保留したことが明らかになっています。

一方で、アメリカに支払う莫大な駐留経費や、基地周辺の住民への補償問題、アメリカ軍兵士が起こす数々の事件などにより、反米感情も少なくありません。

財閥企業

韓国の経済や産業を語るとき、財閥企業を抜きにすることはできません。

財閥とは、ある家族や親せきなどが出資し（金を出し）、多業種にわたって企業を経営する形態で、つまりお金持ちの一族が経営する巨大企業グループをさします。

第二次世界大戦以前は、三菱や三井などの財閥が日本にも存在していましたが、戦後、連合軍の方針で解体されました。

韓国に財閥が誕生したのは、日本の統治が終わってからのこと。日本が残した資産が民間に払い下げられ、復興のための外貨が入ってきたことなどにより、一部の企業が力をつけるようになりました。さらに一九六〇年以降の「漢江の奇跡」と呼ばれる経済成長期を迎え、政権と結びついた企業が利益をあげて財閥となっていったのです。

代表的な財閥グループには、三星、現代、ＬＧグループ、ＳＫグループなどがあり、上位の一〇のグループだけで、韓国のＧＤＰ（国内総生産）の六〇パーセント以上を占めています。お菓子などで有名なロッテも、韓国の財閥企業です。

韓国経済を支配している財閥グループですから、就職希望で人気のある会社も、そのほとんどが財閥企業です。つまり、過酷な受験戦争も就職活動も、最終的に財閥系の大企業に就職するのが目的といってもいいほどです。

産業の中心は、電子部品、半導体、自動車、鉄鋼、造船などで、主な輸出先は中国、アメリカ、ベトナム、香港、日本などです。一方の輸入は、中国、アメリカ、日本、オーストラリア、サウジアラビアなどからで、原油、石油ガス、半導体部品、半導体等製造装置、石油製品などとなっています。そして、これらの製造業の大半の企業が財閥グループであるところも大きな特徴です。

反日感情

韓国はアメリカの友好国であり、日本もアメリカと友好的な関係を保っています。しかしながら、韓国と日本は、友好的な隣国というわけではありません。

韓国は建国以来、反日教育というものが学校で行われてきました。かつて朝鮮半島を支配し、大陸進出の足場とした日本を「仮想敵国」のように扱い、民族と国家をまとめようとしました。その反日教育の強調材料となったのが「慰安婦」や「徴用工」でした。

アジア・太平洋戦争中、朝鮮半島は日本の支配下にありました。その時代、日本軍の慰安所に集められ、将兵に性的な奉仕を強いられた女性たちが「慰安婦」と呼ばれました。戦時中、日本軍兵士による侵攻地域でのレイプ事件が起きたため、それによる反日感情を防ごうと、軍が慰安所を作らせたのです。そこには日本人だけでなく、朝鮮半島や台湾の女性もいました。

また、戦時下の労働力不足を補うために、支配地域の朝鮮半島や中国から労働者を炭鉱などに動員しました。元「徴用工」やその遺族が、「奴隷のように扱われた」として、日本企業に対して訴訟を起こしています。

これらに関しては現代史の章で述べますが、いずれにしても日本が起こした問題であり、歴史的事実です。日本は国際法に基づいて韓国と交渉を重ね、戦時下の問題は解決したという立場ですが、韓国には納得していない人も多いのです。

朝鮮半島の人たちには、日本の文化の元は大陸から伝わったものであり、朝鮮半島を経由したというプライドがあります。その朝鮮半島を支配し、「慰安婦」や「徴用工」として動員した日本に対して、反感を抱くのは当然かもしれません。それらが教育において強調され、忘れてはいけない過去になっているのです。

そういう反日感情が大統領の任期の終盤に、しばしば利用されてきました。交代時期が近づいて期待されなくなった政権が、慰安婦問題や徴用工問題を持ち出し、日本を批判することで支持率を上げようとするのです。

日本との姉妹都市

姉妹都市というのは、国の外交とは関係なく、親善や文化交流を目的とした自治体同士の関係で、日本と韓国の姉妹都市は二〇二三年の時点で一六九にもおよびます。この数は、アメリカの四六三、中国の三八一について第三位です。

都道府県単位では一九の姉妹都市があり、ソウル特別市は北海道、東京都と提携しています。

市や区の単位では一二二で、釜山広域市は下関市、福岡市と、光州広域市は仙台市と姉妹関係にあります。

町村の単位では二八の提携があり、自治体ごとに文化交流などを行っています。あなたの暮らす自治体も、韓国のどこかの自治体と姉妹都市になっているかもしれませんね。

現代史

隣の国なのに

韓国（大韓民国）は、日本にとってお隣の国。そんな韓国に、みなさんはどんなイメージを持っているでしょうか。

K-POPや韓国映画は、日本のみならず世界に受け入れられ、人気を博しています。また韓流ドラマも、日本で一大ブームを巻き起こしました。キムチや韓国焼肉も、わたしたち日本人にはなじみの深い食べ物ですね。

一方で、ライバル心むき出しのサッカーの日韓戦や、日本製品の不買運動など、どこか隣国として違和感を覚えることも多くあります。慰安婦問題や元徴用工問題という言葉も、ニュースなどで聞いたことがあるでしょう。問題ということは、解決したと思っていない人たちがいるということ。いずれもアジア・太平洋戦争時代のことですが、長い時を経ても、解決に至らないのはなぜなのでしょう。

大韓民国は一九四八年八月一五日に政府樹立を宣言し、独立国になりました。日本のアジア・太平洋戦争の敗戦から三年後のことです。独立というのは、支配されている状態から自由になること。その韓国を含む朝鮮半島を長く支配していたのが日本でした。

日本と韓国の関係にある、対立やよそよそしい空気の原因は、一九一〇年に日本が朝鮮半島を併合したことにあることを、まず知っておいてください。そのことが、現在に至るまでの朝鮮半島に大きく影響しているのです。

そして、もう一つおぼえておいてほしいのは、韓国は北朝鮮（朝鮮民主主義人民共和国）と、いまも戦争状態にあるということです。実際に戦闘は起こっていませんが、「休戦」の状態で、両国の戦争は終結していないのです。

他国に侵略され、同じ民族同士での戦争にほんろうされながら、民主化と近代化を進めていった韓国の歴史をみてみましょう。

韓国併合まで

一八九五年、日本は日清戦争に勝利し、それまで朝鮮王国を従属国としていた清から宗主権を放棄させます。清は朝鮮王国を保護し、国際社会においても朝鮮王国を代表する立場をとっていました。これを宗主権といいます。その権利を手放させたのです。

大陸進出を目指す日本にとって、朝鮮半島はその足がかりになる場所でした。一方、日本の進出を阻止したい清やロシアにとっても、朝鮮半島が最前線でした。日清戦争は、単に日本と清が戦った戦争ではなく、朝鮮半島の利権をめぐる戦争だったのです。陸上での戦場も大半が朝鮮半島でした。

その日清戦争に勝った日本に、ロシアは危機感を抱き、フランス、ドイツとともに三国干渉を行います。日本が朝鮮半島の付け根にあたる遼東半島を得ることによって、東アジアの和平が脅かされる、という理由で、日本に返還を求めます。日本はこの圧力に抵抗できず、遼東半島を返還せざるをえませんでした。

三国干渉の結果、ロシアは朝鮮王朝への影響力を強めることになり、日本はロシアを頼みにしようとする朝鮮王朝の王妃、閔妃を暗殺します。これにより日本は、かえって朝鮮半島での勢いを失うことになりました。

一八九七年、朝鮮王朝は大韓帝国と国の名前を改めます。しかし国際社会からは独立国として認められず、日本とロシアとの間で大韓帝国の支配権をめぐって対立が続きます。

三国干渉でロシア、フランス、ドイツが力を示したことに対し、アジアで力を示したいイギリスは一九〇二年、日本と日英同盟を結びます。これで支援を得たと感じた日本は、二年後の一九〇四年に日露戦争に踏み切るのでした。日清戦争の勝利を受けて、国内の世論もロシアと戦うことを後押ししました。驚くことに、日本国民の多くが、ロシアとの戦争を望んだのです。

日露戦争の開戦の年、日本と大韓帝国は第一次日韓協約を結びます。これは日本政府が推薦する人物を大韓帝国の財政や外交の顧問として受け入れるというもので、協約とは言いながら、日本に抵抗できない大韓帝国への押し付けでした。さらに日本は第二次日韓協約（一九〇五年）で、大韓帝国を保護国とします。一九〇五年九月、日露戦争でロシアが日本に敗れ、後ろ盾を失った大韓帝国の皇帝である高宗は、韓国皇室を守ることとひきかえに、日本に外交権まで手渡すことになります。軍を指揮する統監府が設置され、伊藤博文が初代統監になりました。

さらに第三次日韓協約（一九〇七年）では、韓国軍の解散を認めさせ、朝鮮半島の支配を強めていきました。日本の強引なやり方には、民衆からも強い反発があり、各地で反乱が起きましたが、日本は力ずくで反日運動を抑え込みました。

キーワード　高宗

一八五二年生まれの、朝鮮王朝第二六代の国王です。父である大院君を摂政として一二歳で即位します。一八七三年に大院君は摂政を退き、高宗自らが政治を行うことになりましたが、その実権は王妃の閔妃とその一族が握ることになりました。一八九七年には国名を大韓帝国とし、皇帝を名乗りますが、日露戦争後、大韓帝国は日本の保護国となります。

一九〇七年、オランダのハーグで第二回ハーグ万国平和会議が開かれます。これはロシアのニコライ

二世が提唱した、国際間の武力抗争の回避を目指した会議でした。高宗はこの会議に特使を送り、日本が大韓帝国を保護国としたことを世界に訴え、破棄させようとしました。しかし、平和会議は大韓帝国を国とは認めず、代表の出席を拒否します。さらにロシア、イギリス、アメリカも日本の朝鮮半島支配を認めたため、高宗の計画は失敗に終わりました。

高宗は、このハーグ密使事件の責任を取る形で日本に退位を迫られ、皇帝の座を息子の純宗にゆずることになります。

一九一〇年の韓国併合後は、徳寿宮李太王と称されましたが、一九一九年一月に急死します。この死因が日本による毒殺とうわさされ、反日独立を目指す三・一運動の引き金になったといわれています。

そして韓国併合

日本国内では大韓帝国を日本に併合する声が高まっていましたが、伊藤博文はこれに否定的でした。その伊藤博文が一九〇九年一〇月、中国のハルビンで暗殺されます。反日闘争に参加していた安重根の犯行で、これを機に、日本は直接統治することを決め、一九一〇年八月に「韓国併合に関する条約」を締結。大韓帝国は、日本に併合されることになったのです。

併合によって大韓帝国は消滅し、名前が「朝鮮」に変わりました。そして韓国統監府は朝鮮総督府になりました。

　大韓帝国までの時代、両班と呼ばれる特権階級や貴族階級がさまざまな権力を握り、富を支配していました。日本政府はまず、土地調査を行い、所有権が認められなかった土地を総督府のものにします。調査後は、朝鮮の農民や日本人の農民に払い下げられましたが、これによって多くの人が農地や耕作権を失うことになりました。

　またそれまでになかった戸籍制度を導入し、身分制度を廃止しました。これには両班などの反発もありましたが、総督府によって抑え込まれます。それまでの身分制度のために学校に行けなかった児童も含めて教育を受けられるように学校を整備します。併合前には一〇〇校ほどだった小学校は、三〇年後には四〇〇〇を超えるまでになりました。学校では朝鮮語や朝鮮史とともに日本語や日本史が教えられますが、やがて日

1910年から1945年まで京城（ソウル）に置かれた朝鮮総督府

本語の授業が増やされ、学校によっては朝鮮語の授業が禁止されました。工場や商業においては、日本国内と同様の近代化を推し進めます。鉄道が敷かれ、道路が整備され、多額の財政投資が行われました。しかし日本人に有利な政策や強引な同化政策に対しては、各地で反日運動がおこります。これらの運動も、ことごとく武力で鎮圧されました。
朝鮮半島の近代化は、日本によってもたらされたという意見もありますが、日本語を学ばされ、日本人のようにふるまうことを強要された現実があったということです。

キーワード　両班（ヤンバン）

高麗（こうらい）から朝鮮王朝時代の特権階級のことをいいます。高麗（こうらい）の官僚（かんりょう）組織は文官の文班（ムンバン）と武官の武班（ムバン）で構成され、これらを表す両班（ヤンバン）が官僚（かんりょう）の中心になっていました。やがて両班（ヤンバン）が世襲化（せしゅうか）すると、官僚（かんりょう）だけでなく大土地所有者なども両班（ヤンバン）となり、特権階級層が広がりました。一八九四年の甲午（こうご）の改革で両班（ヤンバン）の特権は廃止（はいし）されましたが、実質的には日本の統治下におかれるまで存続しました。

三・一独立運動

一九一九年一月二一日、前皇帝の高宗が急死します。その高宗の国葬が予定されていた三月三日に向けて、朝鮮半島の天道会、キリスト教教会、仏教会の宗教団体が、学生たちとも連絡を取り合い、民族独立の運動を計画します。

三月一日、ソウル市内で代表者たちが独立宣言を読み上げると、公園に集まった三〇〇〇人の市民や学生たちが「独立万歳」を叫びながらデモ行進を行いました。これをきっかけに、運動は朝鮮半島全土に広がっていきます。初めは「国の独立と自由民であること」を訴える、穏やかなはずの運動でしたが、朝鮮総督府が警察や日本軍に応援を頼んで鎮圧しようとし、そのような中で民衆の一部が暴徒化しました。

独立運動は朝鮮半島の各地で、約二か月にわたって続きますが、総督府が武力で鎮圧にあたり、多くの死傷者を出しました。

この三・一独立運動が、それまでの反日運動と大きく違っていたのは、計画的であり、一部の都市だけでなく地方に拡大し、さらには学生や宗教団体だけでなく、一般市民や農民を巻き込んだ、大規模な運動に発展したことでした。

その結果、日本は、軍や憲兵による強圧的な「武断政治」から、「文化政治」と呼ばれる融和的な路線に切り替えることになりました。文化政治においては、憲兵制度が警察制度へと変わり、一部ではありますが言論や集会の自由も認められました。また、親日的な朝鮮人は、日本の支配体制に組み入れられました。ただし、あくまでも植民地としての統治に変わりはなく、朝鮮民族の独立や自由を認めるものではありませんでした。

国内での運動は抑え込まれましたが、一方の海外では、独立運動家たちが集まり、中国の上海では、大韓民国臨時政府が組織されました。この組織が、後の独立からの日韓関係の歴史に、大きく影響することになります。

日中戦争へ

日本軍は一九三一年に中国で満州事変を起こし、さらに一九三七年に起こした、北京郊外での盧溝橋事件をきっかけに、日本と中国は日中戦争に突入します。日清戦争と日露戦争に勝利した日本は、統治した朝鮮半島を足がかりに、大陸への進出を本格化させたのでした。

この時期に行われたのが、皇民化政策でした。朝鮮の人たちを天皇の臣民とし、日本語教育を強化し、日本式の姓に改める創氏改名を行いました。また神社への参拝が強要され、志願兵制度もつくられました。この志願兵制度は、後に徴兵制度へと変わっていきます。

しかしながら、日本国民としての投票権はなく、自分たちの代表を政治の世界へ送り込むこともできなかったのです。つまり朝鮮は、日本の起こした戦争のために、日本にとって都合のいいものにされ、戦時動員体制に組み入れられたのでした。

日中戦争が長引き、一九四一年にアジア・太平洋戦争が始まると、日本国内での労働力不足を補うために、「徴用」として朝鮮人が日本へ送られます。また、慰安婦として朝鮮人女性が戦地へ送られたりすることが起きます。

池上ポイント

● 日本が統治する前の朝鮮王国は、清の属国となっていて、王室や王族の存続ばかりを気にする状態でした。貧富の差は激しく、民衆の反乱もしばしば起こりましたが、その鎮圧さえ他国に頼まなければなりませんでした。

● 明治維新後、一気に近代化を進めた日本は、大陸へ進出する足がかりとして、また増える人口の食料の供給地として朝鮮半島を支配しようとします。一方のロシアも、東アジアに勢力を伸ばそうとしていて、支配権争いが起こったのです。

● 日露戦争において日本が勝利した結果、朝鮮半島は日本の占領地になります。独立までの三五年間、朝鮮の人たちは、民族の自由や権利を奪われました。この時代の日本への反感が教育によって伝えられ、また時には政治のために利用されて、現代の反日感情の元になっているのです。

●戦後五〇年を経た一九九五年、日本の閣僚が「植民地時代、日本は韓国にいいこともした」と発言し、問題になりました。たしかに日本は朝鮮半島において、鉄道を敷き、道路を整備し、北部では工業化を進め、南部では農業改革を行いました。学校をつくり、巨額の投資をして、近代化を図りました。しかしそれが、朝鮮半島のためではなく、日本の都合のためだったことは明らかです。「いいことをした」といえるほど、朝鮮半島のためを思ったわけではなかったのです。

●韓国併合の韓国とは、現在の大韓民国のことではありません。当時の大韓帝国を略したもので、朝鮮半島全体をさします。したがって、日本が統治していた時代までは、韓国も北朝鮮も同じ歴史を歩んだということです。

アジア・太平洋戦争中の朝鮮の小学校（1942年）

朝鮮建国準備委員会と朝鮮人民共和国

一九四五年八月一五日、ポツダム宣言を受け入れた日本は、連合国に無条件降伏します。朝鮮総督府も日本軍も、民間の日本人も朝鮮半島から引き揚げることになりました。これにより、朝鮮半島の人たちは、ようやく自分たちの国家ができると期待します。

八月一五日は日本の終戦記念日ですが、朝鮮半島の人たちにとっては「光復」の日です。光復とは、「解放」や「主権の復活」という意味で、日本の支配から脱し、主権を取り戻したのがこの日だとして「光復節」という祝日になっています。

その八月一五日には朝鮮建国準備委員会が設立されます。その中心となった人物が、朝鮮内で独立運動を続けていた呂運亨でした。翌日の一六日、朝鮮総督府は呂の要求に応えて、日本の支配下で服役していた一万五〇〇〇人もの政治犯を釈放します。朝鮮総督府に勤めていた朝鮮人や警察官となっていた朝鮮人は職場を放棄し、統治機能は麻痺しますが、建国準備委員会が組織した二〇〇〇人の「建国青年治安隊」の働きにより、大きな混乱には至りませんでした。

朝鮮半島では、自分たちの国を建設しようとする運動が始まり、各地に「人民委員会」ができます。九月六日、呂を中心とする建国準備委員会は、各地の人民委員会と連携し、全国人民代表者大会を開きます。ここで「朝鮮人民共和国」の設立が宣言されたのでした。

朝鮮人民共和国の主席は李承晩、副主席が呂運亨でした。また朝鮮共産党を再建した朴憲永も政権に加わっていました。李承晩はアメリカで亡命生活を送っていましたが、三・一運動後、中国の上海に「大韓民国臨時政府」ができたときに大統領に推された人物でした。ただ、この朝鮮人民共和国においては、設立に加わっておらず、本人の承認のないまま「主席」となっていました。

コラム　日本人を守った抗日運動家

日本の降伏を受けた朝鮮総督府は、それまで支配側にいた日本人が、暴徒化した朝鮮の住民たちに襲撃されるのではないかと危機感を抱きます。そこで接触を試みたのが、呂運亨らの独立運動家でした。呂運亨は抗日運動で服役したこともあり、さらに朝鮮半島にとどまっていたため、民衆に支持されていました。

朝鮮建国準備委員会を設立した呂運亨らは、政治犯の釈放を要求し、同時に民衆に向かって「朝鮮人の団結と流血の阻止」を訴えました。流血の阻止とは、日本人を襲撃するなという意味でした。また副委員長の安在鴻はラジオを通じて、日本人の生命財産に

服役当時の呂運亨（1886〜1947）

危害を加えないように求めたのでした。彼らの呼びかけと行動により、大きな混乱や襲撃事件もなく、日本人は引き揚げることができたのでした。

ソ連に危機感を抱くアメリカ

日本の敗戦直前の一九四五年八月九日、当時のソ連（ソビエト社会主義共和国連邦）は日ソ中立条約を破って満州に侵攻し、朝鮮半島へも軍を進めていました。一方ヨーロッパでは、ソ連が占領した東部で、ソ連寄りの国がつくられようとしていました。これを見たアメリカは、朝鮮半島にもソ連寄りの国ができることを恐れました。そこで、朝鮮半島をアメリカとソ連で分割占領することを提案します。

ソ連のスターリンは、このアメリカ案を受け入れ、半島の中部を通る北緯三八度線を境に、北側をソ連が、南側をアメリカが占領することで両国が同意します。

九月八日、沖縄に駐屯していたアメリカ軍は、仁川から朝鮮半島に上陸し、翌日の九日にソウルに入ります。そして直ちに、朝鮮総督府から権力を引き継いだのでした。

朝鮮人民共和国の設立が宣言されたことに対し、地主を中心とした保守的な人たちは、これを左派主導だと反発していました。左派とは、保守ではなく革新的な主義を意味し、ここでは共産主義も含まれていました。地主たち保守派は韓国民主党を組織し、アメリカに「朝鮮人民共和国は共産主義の集団だ」と吹き込みます。アメリカはこれを真に受け、樹立を宣言していた朝鮮人民共和国を認めませんでした。

日本が去って、ようやく朝鮮人の国ができると期待されたのですが、米ソの思惑により、半島の国家建設は幻に終わったのでした。

信託統治という占領

第二次世界大戦中の一九四三年、連合国はカイロ宣言を発表し、その中で朝鮮半島について「適当な期間を経て独立させる」という方針をたてていました。さらに一九四五年のヤルタ会談では、一定期間の信託統治を行うことを決めています。信託統治というのは、国際社会に託された国が統治することです。つまり、長く日本の支配下に置かれていた朝鮮半島が、直ちに独立国家を建設できるとは思っていなかったのです。

一九四五年一二月、モスクワで、アメリカ、イギリス、ソ連の外相会談が開かれ、朝鮮半島に独立国家を建設するために「南北の民主主義政府」の樹立と最大で五年間の信託統治の実施が決定されました。北緯三八度線で分断された朝鮮半島では、北側ではソ連の、南側ではアメリカの信託統治が、本格的に始まることになったのでした。

信託統治が伝えられると、朝鮮人民共和国に反対していた保守派を中心に、信託統治反対運動が起こります。また朝鮮共産党などの左派も同じく、これに反対します。しかし、ソ連の圧力によって、左派は賛成に転じます。こうして保守の右派と、革新の左派の溝は深まっていくことになります。ソ連に抑え込まれた北側については、北朝鮮の章で述べることにします。

朝鮮総督府の統治機構をそのまま受け継いだアメリカ軍は、総督府で働いていた朝鮮人の役人たちをほとんど留任させます。アメリカ軍政庁の始まりです。日本人を追い出したあと、日本の残したシステムをそのまま使うかたちでした。

またアメリカ軍政庁は、朝鮮人による国防警備隊を発足させました。これは、やがて創設される、南朝鮮の軍の母体になる計画でした。

アメリカはこの国防警備隊を、防衛というより反乱の鎮圧のために使います。各地で起こる軍政反対運動に、この警備隊を差し向けたのです。すると、これを見た左派勢力は、ここに入り込めば自分たちに有利な組織として使えると考えます。左派勢力の警備隊員が増えた結果、暴動鎮圧のための出動を拒否する部隊が現れ、大規模な反乱を起こす部隊も生まれたのでした。

キーワード　ヤルタ会談

一九四五年二月、クリミア半島のヤルタで行われた、アメリカのローズベルト、イギリスのチャーチル、ソ連のスターリンの三首脳での会議のことです。ドイツの分割やポーランドの国境線、国際連合の設置など、戦後の国際秩序(ちつじょ)について話し合われました。また秘密協定として、ロシアの対日本の参戦も決められました。

経済の混乱

朝鮮半島は日本統治時代、「南農北工」といわれていました。平地が多く気候が温暖な南部は農業地帯、山があり、豊富な水力資源を生かした北部は工業地帯として開発するというものでした。こういう経緯(けいい)があったため、南朝鮮は工業化の遅(おく)れた農業国として再出発せざるを得ませんでした。分断によって経済のバランスはくずれ、物価は上昇(じょうしょう)。日本からも大勢の朝鮮人が帰国して、市民生活は混乱します。そこへアメリカ軍の信託(しんたく)統治が発表され、民衆の怒(いか)りは軍政庁に集中したのです。

ヤルタ会談。左からチャーチル、ローズベルト、スターリン(1945年2月12日)

各地で軍政に対する暴動や組織的なストライキが起こります。一九四六年九月には、南部の釜山で、およそ八〇〇〇人の鉄道労働者がストライキに入り、これがソウルまで広がって鉄道網は麻痺します。さらには電信、電気、電話、印刷など、多くの産業にわたるゼネラルストライキに発展。軍政庁はこれを共産主義者たちの反乱だと決めつけ、容赦なく弾圧します。ゼネラルストライキとは特定の職場だけでなく、広い範囲の職業の場で一斉にストライキに入ることです。

一〇月には大邱駅に集結した一万五〇〇〇人の労働者や学生たちが、警察と衝突します。警察の発砲により死者が出たことから、群衆は警察署を襲撃。警察官三八人が殺害されました。さらには永川でも一万人の群衆が警察署を襲い、多数の警察官が殺害されます。一方、襲撃を逃れた警察官は、この暴動で逮捕された人物の家を襲撃したのです。

当時の警察官や役人の多くは、日本の統治時代からその職にあり、民衆からは「親日派」と見られていました。親日に対する怒りが、さらなる軍政の支配と重なって警察に向けられ、それに怒った警察や右派の若者が左派を襲うという、憎しみの連鎖が生まれたのでした。

済州島の悲劇

一九四七年三月一日、朝鮮半島のさらに南にある済州島で、「三・一独立運動」（一九一九年）を記念する式典があり、南北統一の独立国家樹立を求めるデモが行われました。

当時の済州島は左派勢力が強く、軍政下の警察は「済州島は共産主義者の島」という先入観を抱いていました。そのため、島の警察官を信用せず、デモの警備のために本土から一〇〇人の警察官を送り込んでいました。

このデモで発砲事件があり、島民六人が死亡します。発砲したのは、本土から来ていた警察官でした。

島民はこれに抗議して、ゼネラルストライキを決行します。ここには島の警察も含まれていて、島の行政は麻痺してしまいます。この事態に本土の警察は四〇〇人を派遣して鎮圧しようとしました。さらに本土からは「西北青年会」という反共右翼団体が乗り込み、「アカ狩り」と称して、島民にテロをしかけます。「アカ」とは共産主義者に対する差別語で、西北青年会は、「アカ」と決めつけた島民たちを次々に襲撃していったのでした。

これに対し、南北統一を目指していた南朝鮮労働党は、怒りを募らせる島民を組織して「山部隊」（武装隊）を結成し、一九四八年四月三日、警察署や右翼団体幹部の家などを襲撃します。これが「済州島四・三事件」です。これ以降、島内では、血を血で洗う、悲惨な殺し合いが始まるのでした。

この年の八月、南朝鮮は大韓民国として独立国となり、発足間もない韓国政府は、済州島に軍隊を送って鎮圧を図ります。ところが一〇月一九日、済州島への出動を命じられた半島南部の麗水駐屯の部隊が、出動を拒否して反乱を起こします。この部隊には左派勢力が多く、命令を無視して反政府行動に出たのでした。

反乱は周辺の順天にも及び、住民や学生たちも参加して拡大します。反乱軍は半島南部に拠点を築き、占領した地域では、警察官や右翼団体の構成員などを「人民裁判」にかけて処刑しました。その数は、一二〇〇人ともいわれています。

この反乱軍に対して、政府は徹底した掃討作戦で応じます。反乱軍はもちろん、戦闘を逃れようとした住民まで反乱軍勢力だと決めつけ、無差別に殺害したのです。

反乱軍の勢いが収まったのはおよそ一週間後でしたが、生き残った反乱軍兵士は、一九五〇年に勃発する朝鮮戦争において北朝鮮に呼応して、戦闘に加わります。最終的に、この反乱軍が完全に鎮圧されたのは、一九五七年になってからのことでした。

済州島から始まったこの悲惨な事件は、一〇年に及ぶ右派と左派の殺し合いになりました。事件の被害者は二万五〇〇〇人から三万人と推定されています。当時の済州島の人口が二八万人でしたから、島民の一割近くが犠牲になったのでした。この事件で、日本に逃れた島民も多くいました。

二つの国の誕生

一九四七年一一月、国連総会は、「国連監視下で全朝鮮における総選挙を実施し、統一政権を樹立する」というアメリカの提案決議を採択します。これによって国連臨時朝鮮委員会がつくられ、朝鮮での民主的な選挙を監視することになりました。ところが、南北統一ではなく、南朝鮮だけの政権樹立を望んでいた朝鮮人政治家がいました。それが李承晩です。

一九一九年の三・一独立運動後、中国の上海に「大韓民国臨時政府」が樹立されます。この臨時政府の中心的人物は金九でしたが、アメリカに亡命していて知名度の高い李承晩を大統領に選びます。これにともない、翌年、李承晩は上海に渡ります。しかし李承晩は、アメリカに対して朝鮮半島の委任統治を勝手に依頼したとされ、大統領の座を追われることになります。

臨時政府に追放されたにもかかわらず、李承晩はふたたびアメリカで「臨時政府の特命全権大使」を自称し、アメリカ政府に取り入ります。

一九四五年、日本の敗戦により、「朝鮮人民共和国」の設立が宣言されると、その主席に李承晩の名前があがっていました。しかし、このときも知名度で推されたかたちで、本人は了承していませんでした。

当時、アメリカの朝鮮政策担当者たちは、日本統治時代にほとんど朝鮮にいなかった李承晩を高く評価していませんでした。ところが、左派勢力による「朝鮮人民共和国」の宣言などに危機感を抱き、反共産主義で臨時政府の初代大統領であった李承晩を利用することを考えるようになります。

一方で北部朝鮮では、ソ連主導で国家建設が始まろうとしていました。アメリカはソ連とのにらみあいの中で、南北統一での選挙をあきらめ、南部だけの選挙実施に踏み切ったのです。

一九四八年五月一〇日、混乱が続いていた済州道を除く南部朝鮮で総選挙が行われ、一九八人の国会議員が選出されました。議会は憲法を制定し、初代大統領に李承晩を選出します。八月一五日、李承晩大統領の下で、大韓民国が成立したのでした。

北部朝鮮では、八月に最高人民会議の代議員が選出され、九月八日には憲法が制定されます。そして、九月九日、朝鮮民主主義人民共和国が成立したのです。

日本の支配からようやく逃れたと思ったら、待ち受けていたのは祖国の分断でした。さらにそれは、同じ民族同士が戦う戦争へと向かっていくのでした。

大韓民国政府樹立国民祝賀会で演説する李承晩（中央）

建国神話

「悠久の歴史と伝統に輝く我が大韓国民は、三・一運動により建立された大韓民国臨時政府の法統及び、不義に抗拒した四・一九民主理念を継承し……」

これは大韓民国憲法の前文の冒頭。「法統」とは歴史的正当性のことです。つまり、日本の占領下で上海に設立され、その後重慶に移った「大韓民国臨時政府」の正統な後継者が大韓民国だといっています。

先にも述べたように、三・一独立運動後の上海に、大韓民国臨時政府は設立されました。初代大統領は李承晩でしたが、内部での対立によって大統領の座を追われ、その後の中心人物は金九でした。しかしこの臨時政府は中国の国民党を頼る状態で、中国国民党も臨時政府としては認めていませんでした。さらには「光復軍」という軍隊も組織しますが、その費用も国民党に出してもらっていました。支配する国民もなく、政府として実体のない組織だったのです。

では、なぜ韓国の憲法に「大韓民国臨時政府」が必要だったのでしょうか。

日本の敗戦によって「光復」となり、アメリカとソ連の信託統治を経て二つの独立国家が誕生しますが、北朝鮮では、金日成が日本の支配と戦った抗日ゲリラを指揮し、建国したということになっています。実際のところ、金日成は日本と戦ったことはほとんどなく、これは建国のための「神話」なのですが。

つまり北でこう言っている以上、南だけが日本の敗戦によって自動的に独立することになったとはいえなかったのです。そして南にとって「神話」に都合がよかったのが、中国にあった大韓民国臨時政府だったのです。

韓国の歴史教科書には、「国内でのねばり強い独立運動、満州や沿海州、中国大陸などでの抗日武装闘争、大韓民国臨時政府の外交活動と韓国光復軍の対日抗戦、国内外で起こした我が民族の相次ぐ義挙活動などが光復の基礎となった」とあります。

神話にするには、名前はよく知られているけれど、その実態はあまり知られていないことが重要です。日本の敗戦によって「棚ぼた式」に独立したのではなく、半島の外にあって抗日運動を続けた臨時政府によってもたらされた建国だったという「建国神話」が必要だったのです。

さらには、建国後の韓国政府の中枢にいたのは、日本の総督府で働いていた人々でしたが、「反日」の臨時政府を継承した以上、親日をいうことはできません。こうして政府内では「反日」が旗印になり、いまにつながる「反日」のルーツになったのでした。

独裁政治の始まり

一九四八年五月一〇日の総選挙において、李承晩を押し上げたのは右派勢力の韓国民主党でした。母体は日本統治時代に日本に協力して財を成した組織で、左派勢力に権力が渡ることを恐れての支援でした。韓国民主党は、政治体制を日本にならった議院内閣制を取り入れることを支持し、李承晩（イスンマン）を名目だけの首相にして、実権を握（にぎ）ろうとしていました。ところが、李承晩（イスンマン）は、アメリカ式の大統領制を主張します。

大統領制には二つのタイプがあります。ドイツやインドの大統領は、議会で選出されますが、実権は議会の多数派政党から選ばれる首相が握（にぎ）っています。これに対して、アメリカやフランスの大統領は、国民の直接選挙によって選ばれます。国民に直接選ばれた大統領は、絶大な権力を手にすることになります。韓国民主党は、ドイツやインドのような大統領制を望み、李承晩（イスンマン）はアメリカ型の大統領制を要求したのでした。

両者の妥協（だきょう）の結果、国会で選出された大統領が大きな権力を持ち、内政に関しては議会の同意を得て国務総理（首相）を任命することになりました。しかし、首相を選ぶにあたり、李承晩（イスンマン）は韓国民主党の意見を聞かなかったため、民主党は反発。政権運営は混乱します。

一方、アメリカに接近して左派勢力を追い出そうとする李承晩（イスンマン）と激しく対立したのが、上海（シャンハイ）にあった臨時政府の金九（キムグ）でした。朝鮮に戻（もど）った金九（キムグ）は、南部だけの国家建設に最後まで反対し、国民からも大きな支持を得ていました。

その金九（キムグ）が、暗殺されます。一九四九年六月のこと。自宅にいたところを、陸軍少将の安斗熙（アンドゥヒ）によって射殺されたのです。国民に衝撃（しょうげき）が走り、多くの人がその背後に李承晩（イスンマン）の姿があることを疑いますが、証拠（しょうこ）はありませんでした。ただし、刑務所（けいむしょ）に収監（しゅうかん）された安斗熙（アンドゥヒ）は朝鮮戦争のどさくさに紛（まぎ）れて釈放（しゃくほう）され、その後軍隊に復帰して昇進（しょうしん）を遂（と）げていきます。

金九の暗殺に李承晩がかかわったかどうかは最後までわかりませんでしたが、李承晩にとって強力なライバルがいなくなったのは確かでした。

池上ポイント

●日本の敗戦で「光復」を迎えた朝鮮半島でしたが、アメリカとソ連は信託統治という形で半島を南北に分断します。日本の支配から脱したと思ったら、南側はアメリカ軍によって占領されることになったのです。

●共産主義を恐れたアメリカは、共産主義者を含めた左派勢力を抑え込もうとします。そのアメリカの軍政に反対する運動が各地で起こり、保守の右派と革新の左派との争いが激化します。その結果、済州島では三万人にも及ぶ犠牲者をだすことになりました。

●北側にソ連の圧力がかかるのを見たアメリカは危機感を抱き、南だけでの独立国家を望む李承晩を支援します。一九四八年八月に大韓民国が、翌九月には朝鮮民主主義人民共和国が建国されることになりました。建国にあたり、両国ともに「自ら独立を勝ち取った」というための建国神話が必要だったのです。

朝鮮戦争勃発

韓国民主党の力を借りて大統領になった李承晩でしたが、政権運営においては韓国民主党と李承晩派はしばしば対立し、一九五〇年五月の第二回国会議員選挙では、反李承晩勢力が多数を占めることになりました。この時点で、大統領は国会で選ばれることになっていましたから、一九五二年に予定されていた大統領選挙では、李承晩の再選は絶望的に見えました。ところが、この李承晩の窮地を救ったのが、皮肉なことに朝鮮戦争だったのです。

北朝鮮の金日成は、建国当初から朝鮮半島の武力統一を狙い、後ろ盾であるソ連や中国に、韓国攻撃の許可を求めていました。ソ連も中国もアメリカを刺激したくないのは同じでしたが、「北からの攻撃があれば、アメリカ寄りの韓国政権に不満を持っている人民が必ず立ち上がり、三日あれば勝利できる」という金日成の再三の説得に、ついに攻撃を認めることになったのです。

一九五〇年六月二五日。北朝鮮の朝鮮人民軍は北緯三八度線の全線で、南に向かって砲撃を開始します。砲撃後、歩兵部隊が一斉に韓国側に攻め込みました。砲撃の中心は、戦車部隊でした。北朝鮮の独立後は、ソ連軍は朝鮮半島から撤退していましたが、一五〇両のT34戦車は北朝鮮に残されたままでした。これにソ連からさらに一〇〇両が追加され、戦車の数は二五〇両になっていました。迎え撃つ韓国軍には戦車はなく、貧弱なバズーカ砲（対戦車ミサイル）では太刀打ちできません。

北朝鮮の不意打ちと、圧倒的な戦力の差で、三日後には首都のソウルが北朝鮮の手におちてしまいました。このソウル陥落の三日前、つまり北朝鮮の攻撃が始まった夜には、李承晩は首都を大田に移すといい出し、アメリカ大使館の説得にも応じずにソウルを脱出します。北部で北朝鮮の人民軍の進撃を食い止めようとしている自国軍を見捨てる行為でした。さらに、人民軍のソウル突入の知らせを受けた、陸軍参謀総長までがソウルを離れます。その際、人民軍の追撃を遅らせるために、ソウル中心を流れる川、漢江の橋を爆破します。このとき橋の上には、戦闘から逃れようとする市民が大勢いました。彼らは、北朝鮮の攻撃ではなく、韓国軍の作戦によって犠牲になったのでした。

六月二五日、国連安全保障理事会は、北朝鮮に対し、敵対行為の即時中止と三八度線への軍の撤退を要求するとした、アメリカの決議案を採択しました。そして七月七日、国連軍の韓国派遣を決め、アメリカを中心とする一六か国の連合軍が編成されることになりました。

キーワード　国連軍

朝鮮戦争に国連軍として参加したのは、以下の一六か国でした。アメリカ、カナダ、コロンビア、タイ、フィリピン、トルコ、オーストラリア、ニュージーランド、イギリス、ギリシャ、フランス、ベルギー、オランダ、ルクセンブルク、エチオピア、南アフリカ。部隊の大半はアメリカ軍でしたが、これだけの国が国連を代表して参戦したのです。ちなみに北朝鮮を支援(しえん)したのは、中国とソ連の二か国でした。

南下する朝鮮人民軍と仁川(インチョン)上陸作戦

アメリカは、戦後の日本に駐留(ちゅうりゅう)していた七万人の兵を急きょ朝鮮半島に送ります。しかし、この兵の大半は、日本の治安維持(いじ)のために駐留(ちゅうりゅう)していた新兵で、実戦経験も乏(とぼ)しく、朝鮮半島の状況(じょうきょう)もわかっていませんでした。「クリスマスまでには帰れるから」といわれて、朝鮮半島に送られたのでした。

国連軍の参戦後も、各地で韓国軍を撃破(げきは)しながら南に進軍する朝鮮人民軍の勢いは止まりません。七月二〇日には、臨時首都の大田(テジョン)が陥落(かんらく)します。そして七月三一日には朝鮮半島南部の釜山(プサン)まで、韓国軍と国連軍は後退してしまいます。あと少しで、朝鮮半島全域を人民軍に支配されるところまで追い込(こ)まれていたのです。最後の砦(とりで)となった釜山(プサン)を守るため、韓国軍と国連軍は必死に抵抗(ていこう)します。

一方の人民軍は、釜山(プサン)を包囲しながら攻(せ)めあぐねていました。その理由は、長くなった補給路でした。人民軍が戦い続けるためには、三八度線より北から食料や弾薬(だんやく)を運ばなければなりません。しかし、釜山(プサン)の最前線まではあまりに距離(きょり)があり、補給に時間がかかるようになっていました。

さらには、アメリカ軍が投入したジェット戦闘機(せんとうき)の空爆(くうばく)により、補給路は寸断されていました。朝鮮人民軍は、韓国軍と国連軍を攻め落とす寸前までいきながら、補給物資が届かず、武器不足と飢えに苦しむようになっていたのでした。

釜山での膠着状態を打開するため、国連軍が計画したのは、人民軍を挟み撃ちにする作戦でした。釜山で耐えている国連軍と韓国軍を支援しながら、人民軍の背後から攻撃するために、半島のどこかに新たな部隊を上陸させるというものでした。そのどこかというのが、ソウルの西にある仁川でした。

九月一五日、国連軍は二六〇隻の艦隊を仁川に送り、七万人の兵を上陸させます。上陸部隊は、人民軍の補給路を断ちながら釜山に進み、計画通りに人民軍を孤立させたのでした。これにより人民軍はちりぢりになって、北へ敗走することになりました。

朝鮮戦争　仁川に上陸するアメリカ軍（1950年9月）

国連軍の反撃となぞの大軍

　国連軍は人民軍を追いながら北上し、九月二七日には三か月ぶりにソウルを奪回します。この段階で、韓国軍と国連軍、朝鮮人民軍、そして韓国の住民にかなりの犠牲者が出ていたのですが、国連軍が人民軍を追って三八度線を越えたため、犠牲者はさらに増えることになります。

　国連軍は勢いのままに人民軍を追い続け、一〇月二〇日には北朝鮮の首都の平壌を占領します。そしてついには、中国との国境線まで、人民軍を追い詰めたのです。

　ところが、国連軍が中国国境にいよいよ迫ろうとしたとき、人民軍とは別の大軍の反撃に遭います。国連軍の攻撃にもひるむことなく、次々と兵を前進させてくる人海戦術に、国連軍は後退せざるをえなくなってしまいます。

　捕虜になった兵士を尋問すると、中国人であることがわかります。しかしアメリカは、中国が介入して軍隊を送り込んだとは、信じようとしませんでした。中国との全面戦争になれば、第三次世界大戦になる可能性もあり、中国もそれを望んではいないはずだと考えたのでした。

　しかし中国には、アメリカとは別の思惑がありました。もし北朝鮮が崩壊し、韓国が半島を支配することになれば、アメリカと密接な国と国境線を接することになります。資本主義の国と隣接するのを避けたい中国は、北朝鮮が消滅することを何としても食い止めたかったのです。

国連軍を押し戻す中国人の大部隊は、「人民義勇軍」だといわれていました。あくまでも北朝鮮の苦戦を見かねた中国の義勇兵が集結し、部隊を結成したというものです。しかし実際は、一〇〇万人にも及ぶ中国の「人民解放軍」だったのです。

人民義勇軍の反撃によって後退した国連軍は、一二月四日、平壌を放棄し、さらに南へ押し戻されます。戦火を逃れようとして韓国に移った難民は、三〇〇万人ともいわれています。

ふたたび平壌を取り返した朝鮮人民軍と中国の人民義勇軍は、国連軍を追い詰めます。三八度線まで南下した国連軍は、そこでとどまることができず、ソウルまで奪われることになります。

ところが、ここでも北朝鮮軍と中国軍は補給に苦労することになります。物資は前線に届かず、さらにはアメリカ空軍の反撃もあり、三月一四日には国連軍がソウルを再び奪い返し、その後は一進一退の状態が続きます。

コラム **戦争特需**

国連軍にとって、戦争に必要なすべての物資をアメリカから輸送するのは容易なことではありませんでした。そこで、調達先に選んだのが日本でした。毛布やテントなどの繊維製品、有刺鉄線や軍用トラック、弾薬までも日本に製造を求めます。これにより、戦後の混乱にあえいでいた日本経済は、好景気に転じます。これが「戦争特需」です。隣国の不幸な戦争によって、日本の経済は復興の足がかりを得たのでした。

日本が決めたことではありませんが、朝鮮戦争の特需も「半島の不幸で日本は発展した」という反日の理由の一つになるのでした。

ようやくの停戦

戦況が滞るなか、一九五一年六月二三日、ソ連のマリク国連代表から休戦会談が提案されます。韓国の李承晩大統領は、北への攻撃を続行させて南北統一を成し遂げると言い張りましたが、韓国軍にそれだけの力はなく、アメリカの説得に応じます。北朝鮮の金日成も同様に、武力統一を訴えていましたが、戦争の被害があまりに大きいことから、休戦調停に応じることになりました。

一九五一年七月一〇日、現在の北朝鮮南部、開城において、休戦会談が始まりました。北側の代表は朝鮮人民軍と中国人民義勇軍、南側の代表は韓国軍と国連軍（実質はアメリカ軍）でした。最大の争点は国境線と捕虜の送還についてでしたが、どちらも主張をゆずらないため、会談は何度も中断されます。

一九五三年、アメリカ大統領がトルーマンからアイゼンハワーに交代し、同年三月にはソ連のスターリンが急死して、休戦会談はようやく進展します。会談開始から二年以上経った一九五三年七月二七日、両者は休戦協定の署名にこぎつけたのでした。

主な内容は、南北を分断する約二四八キロメートルの軍事境界線を設け、その線の南北各二キロメートルを非武装地帯にすること。送還を求めるすべての捕虜を妨害することなく送還すること。板門店に軍事停戦委員会を設置することなどでした。

三年間に及んだ朝鮮戦争は、双方に甚大な被害をもたらしました。なかでも特徴的なのは、兵士以外の犠牲者の多さでした。韓国軍も朝鮮人民軍も、多くの政治犯や一般市民を「敵側の仲間」として処刑していた事実が、後になって明らかになります。全体の犠牲者は三〇〇万人以上とされていますが、そのうちの二〇〇万人以上が一般市民だったといわれています。

そして、朝鮮戦争はいまも休戦状態です。終戦ではなく休戦だということは、戦争は終わっていないということなのです。

休戦協定に調印する金日成（1953年）

池上ポイント

● 北朝鮮の不意打ちから始まった朝鮮戦争でしたが、韓国の李承晩はそのことを予測していました。一九五〇年二月には、李承晩と連合国軍総司令部長官のマッカーサーが日本で会談し、いずれソ連のスターリンが金日成をけしかけて南を攻撃してくるだろうから、そのときは韓国とアメリカが反撃に出て、一気に半島を統一したいと語っていました。マッカーサーは、そうなったら原爆の使用も辞さないと応えています。しかし、その準備はまるで整わないまま、北朝鮮の侵攻を迎えてしまいました。

● 朝鮮戦争のさなか、とりわけ悲惨だったのが「保導連盟事件」でした。建国後の韓国は、南朝鮮労働党による抵抗運動に手を焼いていました。そこで監視が必要だと判断した共産主義者を再教育するために「国民保導連盟」を設立しました。この連盟に登録すれば処罰を逃れることができ、また家族への食料の配給も優先的に行われました。

ところが、朝鮮戦争が始まると、保導連盟登録者は「潜在的な敵」と見なされます。つまり、いつ北朝鮮に寝返るかわからない存在となり、各地で処刑されることになったのです。

一方で、韓国に侵攻した北朝鮮にとっても、保導連盟登録者は党を捨てて敵に協力した存在になり、処刑の対象になったのです。戦火を交える双方から敵と見なされ、虐殺されたのでした。その数は少なくとも二〇万人、調査によっては一二〇万人にもなると推定されています。

- 同じ民族同士が南北に分かれて戦った朝鮮戦争でしたが、ソ連と中国は北朝鮮を支援し、国連軍を代表するアメリカは韓国を支援しました。つまり東西冷戦時代の、アメリカ対ソ連、アメリカ対中国の代理戦争でもあったのです。
- 日本の治安維持のために日本に駐留していたアメリカ軍が、急きょ朝鮮半島に送られることになりました。その代わりとしてアメリカが日本に設立を命じたのが「警察予備隊」でした。連合国は日本軍を解体し、二度と再軍備ができないようにするつもりでしたが、治安維持と共産主義の浸透を防ぐには、武装した部隊が必要だと判断したのです。この警察予備隊が、後の自衛隊に発展するのです。

戦時中の憲法改正

一九五〇年の国会議員選挙では、反李承晩勢力が多数を占め、一九五二年に予定されていた大統領選挙では、李承晩の再選は絶望的と見られていました。その李承晩の窮地を救ったのが、朝鮮戦争だったことは、先に述べました。では、どういうことだったのでしょうか。

自分を支持する国会議員が圧倒的に少なくなった李承晩は、すぐに憲法改正案をつくります。まずは大統領の選出方法について、国会で選ぶのではなく、国民の直接選挙に変更しようとします。さらに、大統領が任命する上院を新設し、国会を二院制にしようとしたのです。

しかし、この時点では、国会議員は反李承晩派が多数ですから、国会にはかってもこの改正案は否決されるはずです。そこに始まったのが、朝鮮戦争でした。

北からの攻撃の翌日にソウルを離れた政府でしたが、臨時首都とした大田も陥落し、釜山にまで追いやられていました。一九五二年、その釜山においての国会で、李承晩の提出した憲法改正案は否決されてしまいます。すると李承晩は、自分の息のかかった団体を使って、国会解散を要求する官製デモを組織させたのです。デモが行われるなか、李承晩は、共産党勢力を一掃するという理由で、釜山周辺に戒厳令を敷きます。さらにその混乱に紛れて、他派の国会議員たちを次々に逮捕したのです。国の大半は北朝鮮軍に支配され、国民は生き延びるのに必死な状況で、李承晩は大統領の座を守ることに必死だったのです。

一九五二年七月、警官隊が包囲する国会で、一部修正されて憲法改正案は可決されました。そしてその翌月には、国民の直接投票による大統領選挙が実施され、李承晩は再選を果たしたのです。

さらに一九五四年の国会議員選挙では、李承晩は、自身がつくった自由党の議員を当選させるために、あらゆる手を使います。不正に入手された投票用紙が自由党候補の票になり、投票箱がすり替えられることもありました。その結果、与党となった自由党の数の力で「初代大統領に限って、三選を可能にする」という、新たな憲法改正案を通過させてしまうのです。

戦争中の混乱だったからこそできた、李承晩の暴挙。こうして、独裁政治はさらに続くことになったのです。

キーワード　官製デモ

デモとは、意見を同じくする人が自発的に集会を開いたり、行進して意見をアピールしたりする行為のことで、官製デモは、政府やその関連の団体によって動員されるデモをいいます。基本的には、政権支持を訴え、反対勢力を攻撃する、いわゆる「やらせ」のデモです。

キーワード　戒厳令

戦争や内乱、災害などの非常時において、立法権、司法権、行政権の全部または一部を軍の支配下に移す命令です。

日本で宣告された戒厳令は、一九〇五年の日比谷焼き打ち事件、一九二三年の関東大震災、一九三六年の二・二六事件の三例です。

「竹島問題」につながる李承晩ライン

第二次世界大戦後、連合国は、日本周辺における日本の漁業可能な水域を設定します。「マッカーサーライン」と呼ばれるものでした。このマッカーサーラインは、一九五二年四月、サンフランシスコ平和条約の発効とともに廃止されることになっていました。

これを見据えた韓国政府は、その前年の一九五一年、アメリカに対して、サンフランシスコ平和条約の発効後、島根県の竹島（韓国では独島）を韓国領にすることを求めます。しかし、アメリカは韓国の要求を却下します。すると李承晩は条約発効直前に「海洋主権国家」を宣言し、日本海から東シナ海にかけて「平和線」という境界線を引いたのです。日本ではこれを「李承晩ライン（りしょうばんライン）」と呼びます。一方的な設定であり、この線の韓国側に竹島が含まれていました。

日本もアメリカも、この勝手な振る舞いに抗議しますが、韓国は無視を続け、「李承晩ライン」周辺で操業していた日本漁船を次々に拿捕します。国際法を無視した行為でしたが、李承晩は日本に対して強く出ることで、国内の支持を得ようとしたのです。

一九六五年、日韓基本条約が締結された際、日韓漁業協定も成立して「李承晩ライン」は廃止されましたが、そののちも、韓国は竹島を実効支配しています。そして、「李承晩ライン」の廃止まで、韓国に拿捕された日本の漁船は三〇〇隻以上におよび、四〇〇〇人近くの日本人が抑留され、死傷者は四四人に上っています。

また、朝鮮戦争で低迷する韓国経済を支えたのはアメリカでした。アメリカは資金だけでなく、物資の面においても、韓国支援を続けます。小麦や砂糖、工業用の原料なども韓国に送られました。すると、その援助物資は、李承晩大統領に近い企業に優先的に売却されました。特定の企業に物資が回り、それらで潤った企業は、やがて財閥に発展していきます。

キーワード　拿捕

軍艦や政府関係の船が外国の船舶をとらえ、支配下に置くことをいいます。基本的には、船舶に領海や経済水域の侵犯があったり、犯罪や漁法違反などが疑われる場合、沿岸国の法令に基づいて拿捕が行われます。

独裁者を追い詰めた民衆の力

一九五六年五月の大統領選挙では、ライバル候補の急死によって三選を果たしていた李承晩でしたが、同時に行われた選挙で副大統領に選ばれたのは、野党である民主党の候補でした。大統領は与党の自由党、副大統領は野党の民主党という、ねじれ現象になっていたのです。

一九六〇年三月、李承晩は自身の四選とともに、副大統領も自由党で固めるべく、選挙に臨みます。ここでも徹底した不正選挙が行われ、ある地区では自由党の得票数が有権者の数を上回るということも起こります。これほどあからさまになると、国民も反発します。

投票日の三月一五日、南部の馬山（現在の昌原市）の投票所で、野党の立会人が退去させられたことに対して抗議デモが発生します。このデモを鎮圧するために警官隊が発砲し、八人が死亡します。さらにはデモに参加していた高校生が行方不明になり、その後、催涙弾が目に刺さったまま遺体で発見されます。この事件をきっかけに、反政府デモは全国に広がっていきました。

四月一八日には、高麗大学の学生が国会議事堂前で抗議の座り込みを行います。すると、大統領を支持する暴徒に襲撃され、多くの負傷者が出ました。

翌日の四月一九日、ソウルの大学生や高校生数万人が大統領官邸を包囲すると、警官隊は無差別に発砲。七人が死亡し、多数が負傷します。これに国民の怒りは爆発し、全国各地でデモが発生。警察署を襲撃するといった暴動にまで発展しました。この日一日で、全国で一八三人が死亡し、六二五九人が負傷しています。

政府は各地に非常戒厳令を布告し、軍隊が出動します。しかし、現場の軍隊はデモや暴動を鎮圧しようとはせず、ただ見守るだけでした。軍も、李承晩とその政権に愛想をつかしていたのです。

四月二五日には、ソウル大学を中心とする教授たち三〇〇人が先頭に立ってデモを行います。そして二六日、デモに参加した大学生、高校生、市民の代表が、戒厳司令官の仲介で李承晩大統領と面会し、辞任を勧告します。さらにはアメリカも、辞任するように圧力をかけました。ついに、打つ手のなくなった李承晩大統領は辞意を表明し、五月二九日に夫婦でアメリカのハワイに亡命したのでした。一五年前にアメリカから戻って大統領に上り詰めた李承晩は、最後にはアメリカに逃げて行ったのでした。

独裁者を倒したきっかけが四月一九日の大規模な民衆のデモだったことから、この事態は「四・一九民主革命」と呼ばれています。そしてこれは韓国国民が勝ち取った成功体験となり、一九八七年に改正された憲法の前文にも、三・一運動とともに明記されています。

池上ポイント

● アメリカにすり寄って大統領になった李承晩は、そのアメリカを後ろ盾に独裁色を強めていきました。反共産主義と反日を掲げ、とりわけ反日を政治利用

「四・一九民主革命」で李承晩政権を倒し、歓喜するソウル市民

した大統領で、在任中の日韓関係は冷え切ったままでした。東西冷戦の中、日韓の関係改善を望んだアメリカでしたが、失望の末に辞任を勧告することになったのです。

●民衆の行動が政権を倒す。この「四・一九民主革命」の成功体験は、国民の大きな自信になりました。現在の韓国で、デモが頻繁に行われ、高校生まで参加したりするのは、韓国の歴史にこの成功体験があるからなのです。

クーデターという政権交代

李承晩政権崩壊後の一九六〇年六月、憲法の改正が行われ、大統領は形式的な国家元首とされて政治の実権は国務総理（首相）に移ることになりました。そして七月の国会議員選挙では、自由党に代わって民主党が与党に躍進します。大統領には尹潽善が、国務総理には張勉が選出されました。

国内は、学生たちを中心とした民主化勢力が力を持ち、各地でデモや集会が相次ぎます。しかし新政権は指導力に欠け、混乱が続いていました。そういう状態の中で起こったのが、軍部によるクーデターでした。

一九六一年五月一六日、軍の海兵隊と空挺部隊がソウル市内に入り、政府の庁舎や発電所、放送局などを占拠します。後に「五・一六軍事政変」と呼ばれる軍事クーデターでした。中心人物は金鍾泌中佐、最高指揮者は朴正熙少将でした。

急激な民主化運動による国内の混乱は収まらず、その機に乗じて北朝鮮が介入してくることを恐れての若手将校たちによるクーデターでしたが、その思いはアメリカも同じでした。当時の韓国軍は国連軍の指揮下にあり、アメリカの許可なく軍を動かすことはできませんでした。つまり、クーデターの背景には、アメリカの容認があったのです。

クーデター部隊は、政府を制圧した二日後に「軍事革命委員会」を発足させ、翌日には「国家再建最高会議」と名前を変えます。そして、新政権ができるまでの間、この最高会議が政権を運営することになりました。大統領の尹潽善もこのクーデターを黙認したため、大統領の座にとどまりましたが、実権は最高会議議長の朴正熙が握ることになりました。そして最高会議直属の中央情報部が設置され、金鍾泌が部長に就任しました。

軍事クーデターを成功させ、実権を握った朴正熙（左端）

最高会議が最初に行ったのが「反共法」の制定でした。それまでも共産主義者を取り締まる「国家保安法」という法律はあったのですが、反共法は共産主義の運動を称賛するだけでも罪に問われるもので、思想信条の自由を認めない法律でした。

キーワード　クーデター

元はフランス語で、武力による奇襲で政権を奪い取ることをいいます。日本でのクーデターとしては、一九三二年の五・一五事件、一九三六年の二・二六事件が一部の軍将校らによって企てられましたが、失敗に終わっています。

形ばかりの民政移管

クーデターによって成立した政権は、正統性に欠けます。国民に選ばれた政権ではないので、正統性を得るには、選挙で選ばれて国民に支持されていることを示す必要があるのです。そのため、朴正熙最高会議議長は、二年後に大統領選挙を実施して、民政移管することを発表します。つまり、国民によって選ばれた大統領と国会に、政権を渡すと宣言したのです。これにともない、一九六二年には、新しい憲法が制定されました。それまでと大きく違うのは、副大統領が廃止され、大統領が絶対的な権力を持つようになったこと。そして、二院制も廃止され、再び一院制になりました。

さらに最高会議は、選挙に関する法律も制定します。しかしこれは、民政移管の後の、独裁政治の布石だったのでした。

一九六三年、朴正熙は軍を引退し、民主共和党という政党を結成します。そして、民主共和党の党首として大統領選挙に臨み、尹潽善候補を破って大統領になったのです。新しい政権は、軍から民政移管されましたが、その実態は、軍服を脱いだ軍人たちによる軍事政権だったのです。

韓国は建国以来、日本との国交がない状態が続いていました。反日に凝り固まった李承晩政権には、日韓の関係改善はまるで視野にありませんでした。じつは、一九五二年から、日韓の交渉はあったのですが、双方の要求は食い違うばかりで、進展はほとんどありませんでした。これを動かしたのが朴正熙大統領でした。朴正熙は日本統治時代に、日本の陸軍士官学校を出ていて、創氏改名により高木正雄という名前にもなっていました。

朴正熙は日本との関係を改善し、発展著しい日本から支援を得て、経済の立て直しを図ろうとしました。日本側も、日本人をよく知る朴正熙ならば、話は進むだろうと期待したのでした。

一九六二年一〇月、金鍾泌が大統領特使として日本を訪問し、大平正芳外務大臣と会談を持ちました。ここから本格的な日韓交渉が始まったのです。

日韓基本条約の締結

日韓で協議を重ねた末、一九六五年六月、「日本国と大韓民国との間の基本関係に関する条約」（日韓基本条約）が、日本の総理官邸で調印されました。

この条約によって、「韓国併合条約」が無効になっていることや、大韓民国政府を朝鮮にある唯一の合法的な政府であることが確認されました。同時に、日本からの資金供与、李承晩ラインの撤廃、在日韓国人の法的地位の確定などの協定も結ばれました。

資金供与については「日韓請求権並びに経済協力協定」というもので合意され、両国の間での請求権問題が最終的に解決したことを確認しています。これによって、韓国の国民が日本政府や日本企業に対して損害賠償などの請求権を持てないことが確定したのです。

この条約により、日本は韓国に一〇年間にわたり三億ドルを無償で供与するとともに、二億ドルを低金利で貸し出すことを決めました。さらに、日本の民間企業が、三億ドルの資金協力をすることになりました。

現在の韓国では、戦時中、日本企業で働いていた韓国人労働者の未払い賃金を要求する裁判が起こされたり、「慰安婦」に対する賠償が求められたりしています。しかし、すでにこの条約によって、日本は賠償金代わりに経済協力資金を渡しているのだから、韓国の国民が賠償を望むなら韓国政府にいうべきである、というのが日本政府の立場です。日本や日本企業を訴えるのは、この条約に反しているということになります。

日韓基本条約の締結には、大きな反対運動が起こります。日本からの資金の少なさや、李承晩ラインの撤廃によって漁業可能な水域が減ってしまうことなどが理由でした。そこに反日意識や、植民地支配を反省しない日本と安易に協定を結ぼうとする朴政権への怒りが加わり、学生たちを中心とする運動は激しさを増します。

朴政権は、条約の反対運動に対し、徹底した弾圧で臨み、調印に持ち込んだのでした。

漢江の奇跡とベトナム戦争

南北の分断後、工業化の進んでいなかった韓国は、農業国として出発せざるを得ませんでした。そこに起こった朝鮮戦争で、国土は荒廃し、極度に貧しい国になっていました。

14年間にわたる交渉のすえ、日韓基本条約が調印された（1965年6月22日）

朴正熙(パクチョンヒ)政権が国民に支持されたのは、その貧しい経済の立て直しを期待されたからでした。朴(パク)政権は、日本との協定で得た資金をまず道路などのインフラ整備に充(あ)て、経済基盤(きばん)を充実(じゅうじつ)させます。そして日本企業(きぎょう)の協力で、ダムや製鉄所などの建設も進みます。

当初は繊維(せんい)製品などの軽工業から始め、やがて経済力がついてくると、鉄鋼や石油精製などの重工業に力を入れていきます。こうして韓国経済は、大きく発展していきました。この経済成長の波に乗ったのが財閥(ざいばつ)で、韓国経済をけん引するまでに巨大化(きょだいか)していきました。

首都ソウルは大都市に生まれ変わり、そのソウルを流れる川の名にちなんで、この経済成長は「漢江(ハンガン)の奇跡(きせき)」と呼ばれるようになりました。

一方、この時期のアメリカは、ベトナムに本格的な軍事介入(かいにゅう)を行っていました。南ベトナム国内でのゲリラ戦に手を焼き、泥沼(どろぬま)のベトナム戦争に苦戦していたアメリカが、協力を要請(ようせい)したのが韓国でした。建国から朝鮮戦争まで、アメリカの支援(しえん)を受け続けていた韓国は、この要請(ようせい)を断りません。

韓国軍は、要請(ようせい)を受けた一九六四年から一九七三年まで、最大規模で五万人、のべ三〇万人以上の兵士をベトナムに送り込(こ)みました。その結果、五〇〇〇人以上の戦死者を出すことになります。

アメリカはベトナム戦争への協力に、経済面で応(こた)えました。戦争に必要な物資を韓国から優先的に買い上げたのです。韓国にも「戦争特需(とくじゅ)」が舞(ま)い込(こ)み、経済はますます潤(うるお)うことになりました。

またベトナム戦争では、韓国軍の「猛虎(もうこ)部隊」、「青龍(せいりゅう)部隊」などの勇猛果敢(ゆうもうかかん)な戦いぶりが有名になりました。ところが、その陰で冷酷な虐殺事件を起こしていたことが後になって明らかになります。一九九九年五月、韓国の週刊誌『ハンギョレ21』は、韓国軍部隊がベトナム中部の地域で、一二〇〇人に及ぶ住民を虐殺していたと告発したのです。子供や女性、老人を一か所に集めて機関銃を乱射したり、民家に押し込めて放火して焼死させたり、女性を強姦した上で殺害したりと、読むに堪えないような虐殺があったことが報告されたのでした。さらなる調査では、被害者は九〇〇〇人にも上るとされています。

　これに対し、韓国軍の退役軍人たちが猛反発します。二〇〇〇年六月、二四〇〇人の退役軍人がハンギョレ新聞社を襲撃し、印刷機器や社屋を破壊して従業員数十人を負傷させました。この韓国軍の残虐行為について、ハンギョレ新聞社以外に追及するメディアはほとんどなく、韓国においてはタブー視されています。

アメリカの要請でベトナム戦争に参加した韓国軍（1966年7月10日）

歴代の大統領の中では、金大中大統領だけが、ベトナムを訪れた際に「ベトナムの国民に苦痛を与えた点について申し訳なく思っている」と謝罪しています。

コラム 沖縄から飛んで行ったB52

一九六四年から一九七五年まで続いたベトナム戦争の当時、沖縄はまだ日本に返還されていませんでした。沖縄の米軍基地は、武器や物資などを集めた補給基地となり、ベトナムに出撃する爆撃機の前線基地でもありました。連日沖縄の嘉手納基地からB52が飛び立ち、ベトナムでの空爆を繰り返しました。沖縄経済は、基地やアメリカ兵によって潤いましたが、戦闘機墜落などの事故やアメリカ兵による犯罪も後を絶たず、反米軍基地の意識は高まっていきました。

しかし、一方で「沖縄住民もベトナム戦争の加害者だ」とする意見もあり、沖縄闘争は、基地の全面撤去を求める「反戦・平和」運動へと流れを変えていきました。

多額の軍事支出による財政赤字と、国内外からの激しい非難に苦しむアメリカは、一九七三年一月、ベトナム和平協定を結び、ベトナムから撤退しました。

池上ポイント

● 「四・一九民主革命」によって李承晩の独裁政権を倒しましたが、その後は経済の低迷と社会不安が続きます。そこに登場したのがクーデターによる軍事政権でした。中心人物の朴正熙は強引な憲法と法律の改正で、民政移管した大統領の座に就きます。

● 韓国経済の押し上げに不可欠なのが、日本からの支援だと判断した政府は、反対する国民を弾圧しつつ「日韓基本条約」を締結します。これにより日本が朝鮮半島を支配した「韓国併合条約」は無効となり、「李承晩ライン」も撤廃、占領時の賠償問題も解決したことになりました。日本からの資金協力をきっかけに、韓国経済は発展を遂げ、「漢江の奇跡」と呼ばれました。

● アメリカの要請でベトナム戦争に派兵した韓国は多くの犠牲者を出しましたが、アメリカによる「戦争特需」で、韓国経済はますます潤います。一方で、ベトナムにおいての韓国軍の住民虐殺事件が明らかになりますが、政府はふたをしたままで、国内でもこの事件に触れることはタブーになっています。

● 休戦状態の朝鮮戦争でしたが、北朝鮮は武装ゲリラをしばしば韓国に送っています。一九六八年には、北朝鮮朴正熙大統領を暗殺しようとする「青瓦台襲撃未遂事件」が起きています。この事件については、北朝鮮の歴史で述べます。

自らが制定した憲法を変える

経済発展を背景に、朴正熙大統領は一九六七年の選挙で圧勝し、二期目に入ります。すると、自らが制定した「大統領の任期は二期まで」という憲法をさらに変えようとします。与党議員が七割を占める議会において朴大統領は「さらに一期だけ大統領を務めることができる」という改正案を審議もなく可決させました。またもや強引なやり方でしたが、国民投票でもこの改憲は圧倒的な支持を得ます。急成長する経済の前には、政権の独裁や民主化の遅れはかすんでしまったのです。

一九七一年四月の大統領選挙では、朴正熙は新民党の金大中を破って当選。しかし、野党の新民党は国会での議席を伸ばし、与党の圧勝というわけにはいきませんでした。野党の勢いに危機感を覚えた朴正熙が打ち出したのが、南北対話でした。

秘密裏に北朝鮮との接触を図っていた朴政権は、一九七二年七月、「自主、平和、民族団結」を謳った南北共同声明を発表します。南北に分断され、さらに戦争までした両国の初めての対話。国民は民族統一の夢に酔いしれます。

勢いづいた朴政権は、一九七二年一〇月、国会を解散して非常戒厳令を布告します。「南北対話を進めるためには強力な国家体制が必要で、そのために憲法を改正する」というのが目的の、大統領側からのクーデターでした。これは「維新クーデター」と呼ばれました。

反共という名のもとに共産主義や民主化運動を徹底的に弾圧し、その一方で、経済発展と南北対話で国民の支持を得る。その国民の支持を背景に、憲法を変えて野党を追い出し、独裁基盤を固めていく。これが朴政権のやり方でした。

維新クーデターによる新憲法では、大統領の再選禁止が削除され、大統領に強大な権力が与えられることになりました。また、大統領は、国民の直接選挙ではなく、「統一主体国民会議」が選出することになりました。そして、会議のメンバーの資格は「政党に三年間加盟していない者」とされます。数を増やした野党議員を国会から追い出すのが目的でした。

こうして、朴政権の選んだ国民会議が、朴正熙を大統領に選出したのでした。

ライバルの拉致事件と暗殺未遂、そして……

一九七一年の大統領選挙で朴正熙と闘った金大中は、アメリカや日本を行き来しながら、祖国の民主化を訴えていました。その金大中が、東京のホテルで何者かに拉致されます。一九七三年のことでした。当時の日本では韓国の人名を日本語読みしていたので「金大中事件」と呼ばれました。

警視庁が現場を調べたところ、韓国の大使館員の指紋が発見されます。韓国政府の関与が疑われました。

そして事件発生から五日後、金大中はソウル市内の自宅付近で発見されます。東京からソウルに連れ去られ、そこで解放されたのでした。

じつは、金大中は大統領選挙の直後に、乗っていた車に大型トラックが突っ込み、同乗者三人が死亡、金大中本人も大けがをしていました。

この「事故」と「事件」、ともにKCIA（大韓民国中央情報部）の工作であったことが、後に判明します。朴大統領の命令であったかどうかはわかりませんが、最終的に、大統領に評価してもらおうと考えたKCIAの李厚洛部長の指示だとされ、部長は解任されました。

日本はこの事件について、主権の侵害であるとし、韓国政府に謝罪を求めましたが、韓国側は拒否します。結局、この年に日本を訪れた金鍾泌首相と田中角栄首相との間で、真相を明らかにしないまま政治決着させることで合意してしまいました。

翌年の一九七四年八月一五日、日本の支配から脱したことを祝う「光復節」の記念式典において、壇上の朴大統領が狙撃されます。大統領は演壇に隠れますが、隣にいた大統領夫人に弾丸が命中し、夫人は死亡します。

犯人は在日韓国人の文世光でした。文は、大阪市の警察の派出所から盗み出した拳銃と銃弾を偽のパスポートを使って韓国に持ち込み、犯行に及んだのでした。金大中事件と朴正熙大統領の暗殺未遂事件、いずれも日本とかかわりがある事件で、日韓関係は冷え込みます。

二〇〇二年になって、朴大統領と夫人の娘である朴槿恵議員が北朝鮮を訪問した際、金正日総書記が、文が北朝鮮の工作員だったことを認め、謝罪したといわれています。

一九七九年一〇月、さらに衝撃的な事件が起こります。朴大統領が直属の部下であるＫＣＩＡ部長の金載圭に射殺されたのです。

事件は中央情報部での宴会で起こりました。当時、国内では、朴政権の独裁に反対する運動が各地で起きていました。南部の馬山や釜山では大規模な暴動があり、この対応について金部長は、朴大統領と車智澈大統領府警護室長から責任を問われたといわれています。その結果、後継者争いから脱落した金が、大統領と警護室長を暗殺したのだと。

しかし実際は、金載圭のクーデターだったと見られています。というのも、宴会場付近には、金に呼ばれた陸軍の参謀総長が待機していたからです。

犯行後、金載圭は陸軍参謀総長に戒厳令の布告を迫りますが、現場の証言で射殺犯であることが発覚し、逮捕されます。直後に全国に非常戒厳令が敷かれ、戒厳司令部合同捜査本部長に就任した国軍保安司令官の全斗煥によって捜査されます。その結果、金とその部下たちは、後に軍事法廷で死刑が宣告されました。

その後、軍の内部では、民主化を進めようとする勢力と、独裁体制を維持しようとする勢力がぶつかります。軍部独裁を望んだ全斗煥は、戒厳司令官などの反対勢力を一斉に逮捕し、実権を握ることになります。これが「粛軍クーデター」でした。

新大統領には、国務総理だった崔圭夏が就任しますが、全斗煥の操り人形のような状態でした。

キーワード　KCIA

正式名称は大韓民国中央情報部。朴正熙政権時代に組織された、大統領直属の国家情報機関です。職員は軍人の中から選抜され、組織も予算なども非公開で、本部があった場所から「南山」とも呼ばれました。主に北朝鮮などの敵対する国の情報取集や、工作員の摘発などを行いましたが、一方で共産主義者や反政府勢力を取り締まるために国民を監視して、恐れられる存在になりました。

朴正熙が暗殺された後、国家安全企画部（ＡＮＳＰ）に改組され、一九九九年に廃止されました。

光州事件と再びの軍事政権

朴正熙大統領の死去にともない、国内では民主化を期待した学生や市民の運動が、各地で続きます。これに対し全斗煥は戒厳令の範囲を拡大し、金大中を逮捕。同様に野党の有力指導者であった金泳三を自宅軟禁にします。

さらに、政治活動の禁止、出版や放送の事前検閲、大学の休校などを盛り込んだ戒厳布告を発表します。この措置に、金大中の出身地、全羅南道の光州市で大規模な抗議行動が起こりました。

一九八〇年五月一八日、抗議行動の中心になっていた全南大学を、出動した空挺部隊が封鎖します。これに反発した学生に一般市民も加わり、バスやタクシーを倒して街にバリケードを築いて、火炎瓶などで軍隊に抵抗します。二一日には、空挺部隊がデモの群衆に一斉射撃をすると、市民は郷土予備軍の武器庫を襲い、武装して応戦します。その結果、軍は光州市を封鎖。通信網を遮断して包囲します。これが「光州事件」（日本語読みで光州事件）です。

全斗煥はマスコミを統制し、光州で何が起きているのか、まるでわからない状態になりました。

包囲された市内では、徹底抗戦を訴えるグループと、政府と協調して収束を図ろうとするグループに分かれます。二七日、あくまで戦うというグループだけが市内に残ったところに、軍が戦車を投入して、多くの犠牲者を出しながら鎮圧しました。当時七五万人の光州

民主化を求める抗議行動に韓国軍まで投入された光州事件（1980年5月19日）

市に対し、陸軍二万人が投入されました。

全斗煥は、この光州事件の首謀者が金大中であったとし、軍法会議において金大中に死刑判決をいい渡します。そして、この当時も韓国軍を動かす権限はアメリカ軍が持っていましたから、光州市に軍隊が派遣されたことは、アメリカの承認があったことを示しています。

光州事件以後、全斗煥は軍事独裁の色を濃くしていきます。「国家保衛非常対策委員会」を発足させ、立法、行政、司法の三権を掌握し、金鍾泌らの保守政治家を不正蓄財者として摘発して資産を没収しました。さらには政治家五六七人の政治活動を禁止する法律を制定し、新聞社や放送局を統廃合して言論統制を強めます。

一九八〇年八月、名前ばかりだった崔圭夏大統領は辞任を表明。全斗煥は軍を退役し、統一主体国民会議から選出されて大統領に就任しました。その直後には憲法を改正し、大統領の任期を七年の一期限りとし、五〇〇〇人を超える選挙人団によって選ばれる、新たな間接選挙制度に変えました。この憲法にのっとり、一九八二年一月全斗煥は、あらためて大統領に選ばれたのです。

この年の九月、七年後の第二四回オリンピックの開催地が、ソウルに決定します。オリンピックの開催は、経済水準が世界の先進国に追いついている証であり、国民は歓喜します。

朴政権時代、アメリカのカーター大統領は、韓国に駐留しているアメリカ軍の撤退を検討していました。それを知った朴正熙大統領は激怒して、「米軍が撤退するなら、韓国は核武装する」と警告し、米韓の関係は悪化していました。この関係改善が、全斗煥政権の早急の課題でした。

アメリカでは、カーター大統領から反共を主張するレーガン大統領へと政権が代わり、これを機に、全斗煥は関係の改善を図ります。

一九八一年、全斗煥はアメリカを訪れ、レーガン大統領との首脳会談に臨みます。アメリカの韓国に対する懸念は、民主化されず軍事独裁が続いている状態でした。一方の韓国は、アメリカ軍の撤退だけは避けたい状況でした。アメリカ軍がいなくなれば、いつ北朝鮮が再び攻め込んでくるかわかりません。

会談の結果、民主化運動の中心人物であり、かつての大統領候補だった金大中を釈放するかわりに、米軍の撤退を回避することになったのです。一度は死刑をいい渡され、その後無期刑から懲役二〇年に減刑されていた金大中は、この米韓交渉により、釈放されてアメリカに出国したのでした。

キーワード　郷土予備軍

韓国には徴兵制がありますが、兵役期間を終えて除隊しても、その後八年間を「予備役」、また満四〇歳までを「民防衛」として軍の義務を果たさなければなりません。その予備役で編成される国土防衛のための組織が、郷土予備軍です。

「六・二九民主化宣言」

全斗煥の軍部独裁政治が続く中、学生や市民による反政府運動も衰えることなく続けられていました。一九八七年五月には、野党を含めた反政府勢力が「民主憲法争取国民運動本部」を結成し、六月一〇日の、与党、民主正義党の党大会に合わせて、大集会を予定します。しかし政府は、六万人あまりの武装警官を動員して会場を封鎖。幹部たちを軟禁状態にします。これに反発した学生や市民がデモを繰り広げ、ソウルのデモでは、延世大学の学生が、警察の催涙弾の直撃に倒れました。このときの学生の写真が報道されると、民衆の怒りは頂点に達したのでした。

この学生は翌月に死亡し、その追悼集会には、ソウルで一〇〇万人、光州で五〇万人、釜山で三〇万人の人が集まりました。反政府デモは収まるどころか、全

アメリカから帰国し、支持者に応える金大中（車上右）

国に広がっていきました。

この状況に、全斗煥はついに民主化に舵を切ります。翌年にはソウルオリンピックを控え、世界の注目が集まる中で、これ以上の弾圧は不可能だと判断したのです。

全斗煥は後継者として、陸軍士官学校の同期で常に行動をともにしてきた盧泰愚を選びます。六月二九日、大統領候補の盧泰愚は国民に対し、「国民大和合と偉大なる国家への前進のための特別宣言」を発表します。大統領を再び国民が直接選挙で選べるようにし、言論の自由を保障し、政治犯を釈放することなどが、主な内容でした。発表の日が六月二九日であったことから、これは「六・二九民主化宣言」と呼ばれます。民衆の行動が、民主化を勝ち取ったできごとでした。

これにより、アメリカに渡っていた金大中は復権を果たし、再び国内で政治活動ができることになりました。

一九八七年一〇月、新たな憲法が成立し、一二月には大統領選挙が実施されました。大統領の任期は五年とされ、再選は不可能になりました。ちなみにこのときの憲法は現在も続いていて、これだけ長く続いた憲法は、韓国では初めてのことになります。

大統領選に立候補したのは、全斗煥の後継者に指名された盧泰愚、統一民主党の金泳三、そしてアメリカから帰国した平和民主党の金大中の三名でした。

金泳三も金大中も、ともに民主化を推し進めてきた有力者でした。しかし、お互いが譲ることなく選挙戦にのぞめば、票が割れて盧泰愚が当選するであろう、というのが、与党の読みでした。そして結果は、その通りになってしまうのでした。民主化の候補者を一本化できなかったばかりに、軍政権を引き継いだ盧泰愚が大統領に選ばれたのでした。

池上ポイント

● 民主化運動には強硬手段で臨んだ朴政権でしたが、それでも経済発展を成し遂げたことが評価され、一定の人気を保っていました。その朴正熙大統領が、暴徒に狙われ、妻が銃弾に倒れます。韓国国内の混乱を狙った、北朝鮮の犯行とされています。

● そして大統領自身も、ついに暗殺されます。しかしそれは、直属の部下の銃撃でした。クーデターをもくろんだものとされていますが、失敗に終わり、収束に努めた全斗煥が実権を握ります。さらには軍部内の反対勢力を一掃し、「粛軍クーデター」を成功させました。

● 朴正熙の死亡によって、民主化を期待した運動が各地に広がります。しかし、政権を引き継いだ全斗煥は、戒厳令を発して厳しい態度で臨みます。これに対する抗議運動は激しさを増し、光州市では市民が武装し、軍が市を封鎖するという「光州事件」が起こります。これ以降、全斗煥は、軍事独裁の色を強めていきました。

● ソウルオリンピックの開催が決定したことは、国民を大いに喜ばせました。しかし、軍事独裁の国での開催が世界にどう受け止められるのかという懸念も広がります。さらに駐留軍の撤退を検討していたアメリカとの関係は、悪化したままでした。

- 北朝鮮との緊張関係が続く中、アメリカ軍の撤退を望まなかった全斗煥は、アメリカを訪れてレーガン大統領と会談します。民主化を進めたいアメリカは、撤退しない代わりに金大中の釈放を求めます。民主化運動の中心人物だった金大中は、一度は死刑判決を受けましたが、これにより釈放され、アメリカへ渡ることになります。
- 民主化を求める反政府運動は続いていましたが、一九八七年、大集会の会場を六万人の武装警官が封鎖したことから、市民や学生のデモが拡大します。ソウルでのデモで、催涙弾によって学生が死亡すると、国民の怒りは最高潮に達し、ソウルで一〇〇万人、光州で五〇万人、釜山で三〇万人の人が追悼集会に集まりました。国内外の状況から、全斗煥政権はついに民主化に舵を切ることになったのです。
- 全斗煥の後継者として大統領候補に指名された盧泰愚は、民主化改革を盛り込んだ「六・二九民主化宣言」を発表。民衆の行動がついに政府を動かしたのでした。

民主化の時代

全斗煥の後継者として大統領選挙に勝利した盧泰愚でしたが、民主化を求めた国民の熱気が冷めたわけではありませんでした。

全斗煥は当初、大統領の座を盧泰愚に譲ったあとは、国家元老諮問会議の議長に就任し、政府を裏で操れると考えていました。しかし、マスコミによる追及と批判が高まり、それどころではなくなります。盟友と国民との板ばさみの状況で、盧泰愚が身を守るために選択したのは、盟友を裏切ることでした。

韓国では、大統領に権力が集中するため、財閥を中心に、正規の政治献金だけでなく、裏の献金も行われ、莫大なお金が集まります。全斗煥は、これらのお金を親族や一族の名義で不正に蓄財していました。これを、盧泰愚は追及し、全斗煥は不正蓄財容疑で逮捕されたのです。

韓国では、大統領が交代するときに、前大統領や親族の汚職事件が明らかになるということがしばしば起こります。

集中する権力に引き寄せられるようにお金が集まるため、大統領もその周辺も、これを利用するのは正当な権利だと思うようになりがちです。大統領の在任期間中は、さまざまな力を使ってその不正行為を隠すことができますが、任期の終わりとともに、その力は衰えます。

新大統領は、国民によって直接選ばれたという自信を背景に、前任者と異なるところを国民に見せて、新たな権力を獲得しようとする傾向にあり、前大統領の不正行為が追及されていくのです。

全斗煥を裏切り、国民の期待に応える一面を見せた盧泰愚でしたが、やがて自分も追及される側に回ることになるのです。

ソウルオリンピックと北方外交

一九八八年九月、世界一五九の国と地域が参加して、ソウルオリンピックが開催されました。

その前年、北朝鮮は大韓航空機爆破事件を起こし、韓国は危険な国なのでオリンピックに参加しないようにと世界にアピールします。オリンピックにより、経済や外交で韓国に差をつけられることを恐れた北朝鮮の行動で、自らも参加をボイコットしますが、賛同する国はごくわずかでした。

ソウルオリンピックの成功により、韓国は先進国の仲間入りを果たすまでに経済が発展したことを世界に示しました。

また、盧泰愚政権によって韓国の国際環境を大きく変化させたのが「北方外交」でした。当時は東西冷戦時代といわれ、ソ連や東欧諸国との国交はなく、対立した状態がつづいていました。ソウルオリンピックに社会主義諸国が参加し、それをきっかけに、関係改善を図っていきました。

一九八九年には、まずハンガリーと国交を結び、次いで一九九〇年には、ソ連とも国交を樹立します。さらには一九九二年には、盧泰愚大統領が韓国の国家元首として初めて中華人民共和国を訪問し、江沢民総書記や楊尚昆国家主席らと会談して国交を樹立しました。

この韓国と中国の国交樹立は、北朝鮮にとっては大きな衝撃となりました。北朝鮮にとって中国は、朝鮮戦争で支援してくれた戦友のようなものでした。その中国が戦友を裏切り、敵と手を結んだのですから。

韓国経済が急激に発展したことにより、思想での対立より経済での協調を望み、社会主義諸国も韓国に接近していったのです。

またこの間の一九九一年には、韓国は国際連合に加盟します。北朝鮮も同時加盟でしたが、国際社会に大きく踏み出したのでした。

キーワード　ソウルオリンピック

一九八〇年のモスクワオリンピックは、アメリカや日本を含む西側諸国がボイコットし、続くロサンゼルスオリンピックはソ連など東側諸国がボイコットしたため、一九八八年のソウルオリンピックは、一二年ぶりに東西両諸国がそろった大会になりました。

この大会では、テニスと卓球が正式競技として

ソウルオリンピック開会式（1988年9月17日）

採用され、女子柔道、野球、テコンドーなどが公開競技として行われました。女子柔道と野球はバルセロナオリンピックから、テコンドーはシドニーオリンピックから正式種目になりました。

開催国として選手の育成に力を入れていた韓国の躍進は目覚ましく、金メダル一二、銀メダル一〇、銅メダル一一を獲得しています。ちなみにこの大会の日本のメダル数は、金四、銀三、銅七でした。

文民大統領の誕生

一九九二年、翌年任期を終える盧泰愚大統領が退陣するため、次期大統領を選ぶ選挙が行われます。立候補したのは八人でしたが、事実上金泳三と金大中の一騎打ちでした。

いずれも民主化運動を推進してきた野党の政治家でしたが、前回同様、お互いが歩み寄ることはありませんでした。そしてこの選挙戦で金泳三が手を組んだのが、盧泰愚が所属する与党の民主正義党でした。民主化陣営にしてみれば裏切りともとれる行動でしたが、金大中に勝つには、与野党大合併しか方法はなく、さらに盧泰愚の陸軍時代の先輩である金鍾泌までこの大合併に参加したのでした。

激しく対立していた勢力が、選挙のために手を組む。政治の世界では、まれにあることですが、それにしても驚くべき行動でした。

ここに、長く続いた軍人出身大統領の時代は終わり、ようやく文民大統領が誕生したのでした。

金泳三大統領がまず行ったのは、軍閥の解体でした。軍閥とは、軍の内部での派閥のことで、韓国軍には、朴正煕の時代から一心会という力を持つ軍閥があり、クーデターの温床になっていました。金泳三は、二度とクーデターを起こさせないようにするため、一心会の幹部を一斉に異動させ、組織を解体に追い込みました。

さらに金泳三が打ちだしたのが「金融実名制」でした。これは、架空名義の預金や第三者名義の預金を本人名義に強制的に書き換えさせるというものです。税金を逃れるために、また不正に蓄財するために、本人以外の名義で預金することがまかり通っていたということですが、かつては日本でも、こういうことは行われていました。

この金融実名制の実施で発覚したのが、元大統領の不正蓄財でした。前任の全斗煥の不正蓄財を追及した盧泰愚前大統領でしたが、自分も同じことをしていたのです。盧泰愚前大統領は、さまざまな国家事業で手数料を取り、さらに財界から裏献金を受け取っていました。その額は五〇〇億円以上（当時のレートで円に換算）。あまりに巨額な不正蓄財でした。

盧泰愚前大統領への追及はそれにとどまらず、光州事件で市民の弾圧に手を染めたことについても責任が問われます。そうなると、盧泰愚だけではなく、全斗煥の責任も問われることになります。しかし、当時の法律では、国民が要求する「内乱罪」は時効となっており、適用されませんでした。

そこで議会が可決させたのが「遡及法」でした。これは、後からできた法律で過去の事件を裁くという方法で、近代国家ではありえないものですが、韓国では、こういうことが起こるのです。

これにより、時効となっていた光州事件や軍事反乱などに対する権力犯罪の時効は停止され、全斗煥、盧泰愚の元大統領が、新たに裁かれることになったのです。

一九九六年、韓国はＯＥＣＤ（経済協力開発機構）への加盟を果たします。これは俗に「先進国クラブ」と呼ばれ、国際的に先進国の仲間入りと認められます。

ＯＥＣＤの加盟国になると、貿易の自由化や海外からの投資の受け入れなど、金融取引での大幅な緩和が求められます。外貨が流入し、海外への投資も進みます。

その結果、韓国の対外債務（外国からの借金）は、一九九二年には四二八億ドルだったものが、一九九六年には一九四三億ドルにまでふくれあがりました。韓国経済は一見好調に見えましたが、基盤は弱く、先進国に対抗できる状態にはなかったのです。後ほど述べますが、アジア通貨危機が韓国経済に追い打ちをかけます。

キーワード　文民

軍人でない者、また、職業軍人の経歴を持たない者を文民と呼びます。英語のシビリアンを訳したもので、日本国憲法第六六条二項は「内閣総理大臣その他の国務大臣は、文民でなければならない」と定めています。

死刑囚から大統領へ

一九九七年、金泳三大統領の退陣にともなう選挙で勝利したのは、金大中でした。金大中は朴正熙政権時代、日本にいるところを拉致されて殺害されそうになりましたが、これは当時のＫＣＩＡ（大韓民国中央情報部）の指示だといわれています。さらには軍政府に敵視され、死刑判決を受けたこともありました。数奇な運命をたどった民主化運動の主導者が、ついに大統領にのぼりつめたのでした。

しかしその裏には驚くべき事実がありました。金大中は大統領選挙の直前、保守派の金鍾泌と手を組んでいました。金鍾泌は、前回の大統領選挙で金泳三を支持した、金大中にとっての反対派勢力でした。さらに金鍾泌は、金大中が拉致された時期のＫＣＩＡの部長でもあったのです。大統領になるためには、自分を敵視し、命を絶とうとした人物とさえ同盟を結ぶ。金大中もしたたかな政治家だったのです。

新大統領の金大中を待っていたのは、アジア通貨危機でした。

アジア通貨危機は一九九七年にタイから始まった金融危機で、たちまちのうちにアジア諸国に広がりました。当時のアジアの多くの国は、自国の通貨の価値をアメリカのドルと連動させる「ドル・ペッグ制」をとっていました。ドルの価値が低ければ自国通貨の価値も低いままで、ドルが高くなれば、それにともなって自国通貨も高くなるというものでした。

ドルが安い時期は、タイのバーツも韓国のウォンも安く、輸出には好都合でした。海外からの資金が流入し、さまざまな分野で好景気になりました。ところが一九九五年以降、アメリカは政策を転換させ、「強いドル」を目指すことになります。するとバーツもウォンも上昇し、景気は停滞します。そこを狙ったのが「ヘッジファンド」でした。ヘッジファンドというのは、投資家から集めた多額の資金を運用して利益を上げる組織のことです。

通貨の価値と金利の差を利用してヘッジファンドが利益を求めた結果、アジアの各国でドルの資金が底をつくことになります。韓国の金融機関も多額の対外債務を抱えることになり、返済不能の状態になりました。こうなると、頼れるのはＩＭＦ（国際通貨基金）しかありません。ＩＭＦは、外貨不足になった国に外貨を貸し付け、救済する組織です。しかし、ＩＭＦに救済を求めた場合、さまざまな経済改革が求められます。多くの銀行が統廃合され、そのために資金の流れは止まり、経済も悪化の道をたどることになります。経営不振になった企業ではリストラが進められ、大量の人員整理が行われました。

金大中大統領は、就任直後からこの金融危機に対応せざるを得ず、ＩＭＦの改革要求に応えるしかなかったのでした。韓国はなんとかＩＭＦの融資を返済しますが、韓国には外資系の金融機関が進出し、その結果、国民の所得格差は拡大します。国内では「朝鮮戦争以来の国難」といわれました。

日本文化の解禁

金大中大統領のもとで、日韓関係が大きく改善されたのが一九九八年の首脳会談でした。日本を訪れた金大中大統領は小渕恵三首相と会談し、過去を清算して未来志向の関係を築くことを確認した「日韓共同宣言」が発表されました。小渕首相は過去の植民地支配を謝罪し、金大中大統領はそれを受け入れて、良好な関係に発展させようというものでした。

しかし韓国国内では、この共同宣言はすんなり受け入れられず、その後も大きな進展はみられない状況になります。

韓国では、日本の統治から脱して以来、日本の文化を排除しようとしてきました。日本の音楽や映画、テレビ番組も、原則として視聴することはできませんでした。日本文化を禁止する法律があったわけではありませんが、「国民感情を害する憂慮があるか、公序良俗に反する外国の公演物を公演してはならない」という公演法があり、これに基づいて規制されていたのでした。

金大中大統領は訪日に合わせるように、日本の文化を段階的に容認する方針を発表します。これを機に、日本の漫画、映画、音楽など、大衆文化が輸入され、若者を中心に日本文化が広がっていくことになりました。

また二〇〇二年には、アジアで初のサッカーのワールドカップが日韓の共同開催で行われ、これもお互いの国民が相手の国を知るきっかけになりました。

太陽政策

北朝鮮では一九九四年に金日成(キムイルソン)主席が死去し、その権力を受け継(つ)いだ息子(むすこ)の金正日(キムジョンイル)が一九九七年に朝鮮労働党総書記に就任していました。

それ以前の一九九〇年に韓国はソ連との国交を樹立させていましたが、そのソ連は一九九一年に崩壊(ほうかい)します。北朝鮮にとって後ろ盾(だて)だったソ連が、朝鮮戦争を戦った韓国と手を結び、さらにはそのソ連がなくなったのです。経済でも国際関係においても、ソ連を頼(たよ)っていた北朝鮮には大打撃(だいだげき)でした。

ソ連の支援(しえん)を失った北朝鮮の経済は滞(とどこお)り、さらには農業政策の失敗もあり、金正日(キムジョンイル)体制がスタート直後から直面したのが、食料危機でした。これについては「北朝鮮の現代史」で述べますが、食料危機に手を差し伸(の)べようとしたのが金大中(キムデジュン)の韓国でした。

金大中(キムデジュン)大統領は、北朝鮮に対して強硬(きょうこう)政策で臨(のぞ)んでも関係改善は見込(みこ)めないと考えていました。それよりも歩み寄りを見せ、必要な援助(えんじょ)を行うほうが、南北の緊張緩和(きんちょうかんわ)につながると考えたのでした。それが「太陽政策」です。イソップ童話の『北風と太陽』になぞらえ、冷たい北風を吹(ふ)かせるのではなく、温かい太陽の光を注ぐという意味の政策です。

韓国は食料不足に悩(なや)む北朝鮮にコメや肥料を送り、観光事業という名目で北朝鮮の外貨獲得(かくとく)を手伝います。こうした太陽政策により、二〇〇〇年六月、金大中(キムデジュン)大統領の北朝鮮訪問が実現し、南北分断後、初の両首脳による会談が行われたのです。

　会談最終日の六月一五日、「六・一五南北共同宣言」が発表されます。両国は自主的な平和統一を目指すことを確認し、朝鮮戦争で離れ離れになった家族（離散家族）の対面を可能にして経済協力を進めていくことなどで合意しました。

　この歴史的会談の成果により、金大中大統領はこの年、ノーベル平和賞を受賞しました。後任の盧武鉉大統領も「太陽政策」を継続し、南北朝鮮は和解に向けて大きく前進するかに見えました。しかし、その期待は、やがて裏切られることになります。

　少数与党からスタートした金大中政権でしたが、アジア通貨危機に対処したことで支持率を高めました。しかし、経済危機が去ると、その後遺症として貧富の格差が拡大し、批判を受けます。

　また南北対話を実現させてノーベル平和賞を受賞しますが、南北対話の見返りとして、財閥を通じて北朝鮮に巨額の資金を渡していたことが発覚し、「金で買ったノーベル賞」といわれることになりました。さらにその南北対話も進展せず、金大中はしだいに求心力を失っていきます。

　そこに追い打ちをかけたのが、息子たちの収賄容疑でした。金大中自身はクリーンな政治家でしたが、絶大な権力の周辺にいた人たちは、お金の誘惑に勝てなかったのです。それでも本人は捜査を受けることなく、二〇〇三年に任期満了で退任しました。その後は政界を引退し、二〇〇九年に八五歳で死去しました。悲惨な晩年が多い韓国の大統領のなかで、めずらしく平穏な晩年を送った金大中でした。

反米イメージと「太陽政策」の継承

二〇〇二年の大統領選挙で、金大中の後任に選ばれたのは、盧武鉉でした。ここでは盧武鉉の所属する新千年民主党がアメリカ大統領選挙の予備選挙に近い方法を採用し、候補者七人が全国で予備選挙を闘います。党員だけでなく一般市民にも投票権を与えたことは斬新で、国民は熱狂しました。これにより党の支持率も急上昇し、「太陽政策」を引き継ぐという訴えが盧武鉉を大統領に押し上げたのでした。

さらに盧武鉉の応援団となったのが「ノサモ（盧武鉉を愛する集まり）」という若者の組織で、インターネット上で運動を展開し、多くの票を集めました。彼らは「三八六世代」という若者たちです。「一九九〇年代に三〇歳になり、一九八〇年代に学生時代を送って民主化運動にかかわった、一九六〇年代生まれ」をこう呼びました。学生時代に軍事独裁政権に反対し、民主化の中心となった世代でもあり、反米思想の強い若者も多くいました。また民主化によって容認された、マルクス主義の文献や、北朝鮮の主体思想（一三三ページ参照）にも触れていました。その結果、盧武鉉政権には、左派の活動家も加わることになりました。

反米イメージの強い盧武鉉大統領でしたが、対アメリカの政策においては、強さを発揮することはありませんでした。二〇〇三年にブッシュ政権のアメリカがイラクを攻撃すると、そのアメリカは韓国軍の派遣を求めます。盧武鉉大統領はこれに応え、アメリカ、イギリスにつぐ三六〇〇人規模の部隊をイラクに派遣します。

また貿易においても、アメリカとのＦＴＡ（自由貿易協定）の交渉に臨みます。人口が少なく、国内市場に限界がある韓国としては、海外との貿易を重視するしかないと割り切った判断でした。アメリカはこの交渉で、アメリカ製自動車の輸入促進やＢＳＥ（牛海綿状脳症。いわゆる狂牛病）対策で禁止されていたアメリカ産牛肉の輸入再開などを要求し、国内ではＦＴＡ交渉反対の声が渦巻きます。

イラクへの派兵もＦＴＡ交渉も、盧武鉉大統領の支持率を下げることとなりますが、ＦＴＡの批准は次期大統領の李明博に持ち越され、結果として韓国製品の輸出にはずみをつけました。

北朝鮮に対しては「太陽政策」を維持し続け、援助を行います。肥料やコメなどを送り、開城工業団地の拡充や観光事業を継続して、北朝鮮に外貨収入をもたらします。二〇〇四年にアメリカを訪問した際には「北朝鮮が核とミサイルで自国を防衛しようとすることには一理ある」と発言し、ブッシュ大統領をあきれさせています。

金大中政権から引き続いて北朝鮮を支援し、擁護した韓国でしたが、北朝鮮は別のかたちでこれに応えます。二〇〇六年七月、北朝鮮は日本海に向けて七発の弾道ミサイルを発射したのでした。

これに対して国連の安全保障理事会は、ミサイル発射を非難し、北朝鮮の弾道ミサイル計画に関連する活動の停止要求を採択します。それでも盧武鉉大統領は、翌月の光復節で、「北朝鮮に対し、広い心と長い目で過去を許し、和解と協力の道に進まなければならない」と演説します。それでも北朝鮮は止まりません。二〇〇六年一〇月、北朝鮮はついに核実験の実施に踏み切ったのです。

北朝鮮は韓国から引き出せるだけの支援を得ながら、盧武鉉の韓国を振り向くことはありませんでした。北朝鮮が相手にしたいのは、あくまでアメリカだったのです。

支持率が下がると「反日」

中国の経済的な台頭で、アメリカとの緊張関係が高まる中、盧武鉉大統領の発言がアメリカを怒らせることになります。二〇〇五年三月、盧武鉉大統領は陸軍士官学校の卒業式で、「今後、韓国は北東アジアの平和と繁栄のために『バランサー』の役割を果たしていく」と述べたのです。これはつまり、米中関係において、仲介役になるという意味です。

アメリカは朝鮮戦争において韓国を助け、多くの犠牲を払いました。韓国とは同盟関係にあるはずです。ところが、まるで第三者の立場にあるかのような発言に、アメリカはあきれ、怒ったのです。この時代、米韓関係は過去にないほど冷え込むことになります。

就任当初は「未来志向」を掲げ、日本との良好な関係を築くことが重要だと発言していた盧武鉉でした。そして小泉純一郎首相との間で「シャトル外交」を実現させることで合意しました。都市間を高い頻度で行き来するシャトル便のように、お互いの首脳が行ったり来たりしながら会談を重ねるというものでした。

ところが二〇〇五年三月、独立運動の記念日の式典で、日本に対して過去の植民地支配への明確な謝罪と反省を要求する発言をします。突然の反日姿勢への転換でした。小泉首相がこれに取り合わないでいると、さらに「外交戦争も辞さない」といい出し、シャトル外交は中止されたのです。

その理由は、支持率の低下。政権の支持率が下がってくると、過去の植民地支配に対する謝罪や反省を日本に求める発言をして、強い政権のイメージを保とうとするのです。これは、盧武鉉政権に限ったことではありません。その後の大統領も同じように、支持率が下がってくると反日姿勢を強調します。

韓国の大統領の任期は五年で、再選はありません。就任当初は、絶大な権力を背景に求心力を保ちます。ところが任期の後半になると、国民の意識は次期大統領へと向かっていきます。現職大統領への関心はうすれ、支持率も下がってくるのです。

これはアメリカも同様で、二期目の後半になると「レームダック」化していきます。「レームダック」とは、「ヨタヨタ歩きのアヒル」という意味で、アメリカでは実質的に権力を失った政治家をこう呼びます。

権力の集中をさけるために大統領の任期を限定するのは、民主主義政治の方法の一つではありますが、こういった弊害もあるのです。

竹島問題

二〇〇五年三月、島根県議会が、二月二二日を「竹島の日」と定めます。島根県隠岐郡の竹島は、日本政府が一九〇五年に島根県への編入を閣議決定し、同年二月二二日に当時の島根県知事が告示していました。竹島周辺では韓国の漁船が多く操業し、島根の漁業者の不満が高まっていたことから、竹島が日本の領土であることをアピールするための県議会の決定でした。

これに韓国は猛反発します。前にも述べましたが、竹島は韓国では「独島」と呼ばれ、建国来「独島は韓国領である」という教育が徹底されています。ですからこの島が日本領でなく韓国領である、というのは、当たり前のことになっているのです。

「竹島の日」の条例制定に反発した韓国政府は、それまで認めていなかった「独島観光」を解禁し、一般の観光客を上陸させるようになりました。

そもそも竹島は、一七世紀の初めから現在の島根県の漁民が竹島付近で漁をする際、航行の目標としていた島で、この時点から日本は、実質的な領有権を確保していました。サンフランシスコ平和条約においても、日本は朝鮮半島と周辺の島々の領有権を放棄しますが、ここに竹島は含まれていませんでした。このとき韓国は、「独島」も日本が放棄するように要望しますが、アメリカは拒否し、竹島が日本領であることを認めています。

ところが、日本がサンフランシスコ平和条約で独立する直前の一九五二年一月、李承晩大統領は日本海に線を引き、「独島」を含めた海域が韓国領であると宣言したのです。それ以来、韓国は竹島に守備隊を置き、実効支配を続けています。

この竹島問題も、両国の主張は平行線のままで、日韓関係に棘のようにささったままになっています。

池上ポイント

●金大中、盧武鉉の時代に、韓国は大きく民主化されました。日本の文化に触れることができるようになり、韓国のドラマや映画が日本で一大ブームになります。また、韓国が世界に目を向けるようになるのもこの時代でした。

しかし人口が日本の半分に満たない韓国では、市場に限界があります。そこで外国語教育に力を入れ、海外進出を目指すようになりました。K-POPなどの韓国芸能界も、この戦略で世界に出て行ったのです。

●北朝鮮に対しては、「太陽政策」で臨みます。しかし北朝鮮は、引き出せるだけの支援を韓国から引き

日本海にうかぶ竹島(韓国名:独島)(1997年2月)

出しておいて、ミサイル発射と核実験で応えたのでした。

●反米イメージの強い盧武鉉大統領でしたが、アメリカのイラク攻撃では韓国軍の派兵を決め、アメリカとのＦＴＡ（自由貿易協定）の交渉を進めて支持率を下げていきました。

●国民の支持率が下がると「反日」を口にするようになります。政権交代が近づいてくると、どの大統領も「反日」をアピールの材料にするのでした。

大阪生まれの大統領

盧武鉉政権は議会において少数与党だったこともあり、議会運営に苦労します。その間、北朝鮮への「太陽政策」も実を結ぶことはなく、アメリカとも日本とも関係は悪化します。さらに経済も低迷し、まさに「レームダック」状態で任期を終えました。そして、多くの国民が、経済の立て直しを期待して保守政治家の出現を望むようになります。そこに登場したのが李明博でした。

保守派で野党となっていた「ハンナラ党」は二〇〇七年の大統領選挙で巻き返しを図るため、朴正熙元大統領の長女、朴槿恵を代表として支持を集めます。「ハンナラ」とは、「一つの国」あるいは「偉大な国」という意味です。ハンナラ党の予備選挙で朴槿恵と闘ったのが、李明博でした。李明博は大阪で生まれ、終戦直後に家族とともに韓国に引き上げます。建設会社の会長、国会議員を経て、ソウル市長に選ばれます。市長時代は、高架道路にふさがれてよどんでいた清渓川を復元させ「ソウルの森」と呼ばれる市民の憩いの場をつくるなど、根っからの政治家とは違った手法でアピールします。韓国国民は、経済不振が続いた盧武鉉政権から、実績のあるビジネスマン大統領に期待したのです。

二〇〇七年の大統領選に当選した李明博は、「七四七」という数字を公約に掲げたことから、新政権は「七四七政権」と呼ばれます。これは、「年に七パーセントの経済成長」「一〇年以内に一人当たりの国民所得を年四万ドルにする」「世界七位の経済大国を目指す」というものでした。

当時の韓国は、経済成長率が三~五パーセント、国民所得は二万ドル弱、GDPは世界一三位でした。つまり「七四七」は、三つの指標において、倍増させるというものでした。しかし経済成長七パーセントというのは、開発途上国でこそ可能な数字であって、韓国のような中進国には高すぎるハードルでした。結果、どの目標も達成できないまま終わってしまいます。

李明博政権のスタートをいきなり襲ったのが、アメリカ産牛肉の輸入再開でした。二〇〇三年にアメリカでBSE（牛海綿状脳症。いわゆる狂牛病）の発生が伝えられると、日本も韓国もアメリカ産牛肉の輸入を制限します。しかしアメリカは、米韓FTA（米韓自由貿易協定）の交渉で、牛肉の輸入拡大を強く求めます。これに対して韓国は、「生後三〇か月未満で、骨を取り除いた肉」という制限を取りはらい、無制限に輸入することに合意したのです。

この決定に韓国国民は不安をおぼえます。各地で反対集会が開かれ、高校生や子供連れの家族も参加するようになりました。さらに「アメリカ産牛肉は果たして安全か」というテレビ番組で「韓国人の九四パーセントがＢＳＥの発症を誘発する遺伝子を持っている」という内容が放送されると、インターネット上でさまざまな情報が流れ、パニックを引き起こしました。後に、この番組の内容は事実誤認や誇張が多くあったことが判明し、テレビ局は謝罪しますが、国民の不安は消えませんでした。

キーワード　ＢＳＥ（牛海綿状脳症）

狂牛病とも呼ばれる牛の病気の一つで、ＢＳＥプリオンという病原体に牛が感染すると、脳の組織がスポンジ状になることから「海綿状脳症」の名前がつきました。その結果、異常行動や運動失調などを示して死亡するとされています。一九八六年にイギリスで発見され、その後世界に広がり、日本でも感染した牛が発見されました。

原因は牛の飼料にありました。かつてＢＳＥに感染した羊や牛の脳やせき髄などを粉末にしてえさに混ぜたことで、他の牛も感染したのです。ＢＳＥプリオンに汚染された食物を摂取することでヒトにも感染し、変異型クロイツフェルト・ヤコブ病を発病することが明らかになっています。治療法はなく、世界中がパニックにおちいりました。

北朝鮮との対立

金大中、盧武鉉と二代にわたって北朝鮮に「太陽政策」を行ってきましたが、李明博大統領はこれを打ち切り、代わって「非核・開放・三〇〇〇」を掲げます。これは、北朝鮮が核開発を放棄して開放路線をとれば、一〇年以内に、一人当たりの年間国民所得を三〇〇〇ドルまで引き上げる経済支援を行う、というものでした。当時の北朝鮮の国民所得はおよそ三〇〇ドルと推定されていましたから、それを十倍にすると発表したのです。

これに対して北朝鮮は、激しく反発します。北朝鮮にとっては、それまでの太陽政策により、無償で経済支援を引き出せていたのに、いきなり「核の放棄」という条件を付けられたようなものでした。

北朝鮮の反発は言葉だけにとどまらず、行動に移っていきます。二〇一〇年三月、韓国海軍の哨戒艇「天安」が朝鮮半島西側の黄海で、突然爆発を起こし、沈没します。船体を引き揚げて判明したのは、外部からの衝撃により沈没したということでした。周辺からは北朝鮮の特徴を示す魚雷の残骸が発見され、韓国は、北朝鮮の攻撃によるものだったと発表します。北朝鮮はこれを否定し、韓国の捏造だと非難します。

同年の一一月、黄海に浮かぶ韓国の延坪島が、北朝鮮の砲撃を受けます。当時島では、韓国軍の海兵隊が海上に向けて砲撃訓練を行っていましたが、そこへ朝鮮人民軍が砲撃を加えたのです。韓国軍もただちに反撃しますが、海兵隊員二名、民間人二名が死亡し、海兵隊員一六人が重軽傷を負いました。

李明博（イミョンバク）政権の政策と言動は、軍事行動まで引き起こすほど、北朝鮮を怒（おこ）らせたのです。

悪化する日韓関係

李明博（イミョンバク）大統領は就任当初、日本に対して「謝罪しろなどと言いたくない。新しい成熟した日韓関係を築きたい」と発言しています。そして、滞（とどこお）っていた盧武（ノム）鉉（ヒョン）政権時代の「シャトル外交」を再開します。

二〇〇八年四月、李明博（イミョンバク）大統領は日本を訪問し、福（ふく）田康夫（だやすお）首相と会談します。また天皇陛下（へいか）に会った際には、韓国訪問を招請（しょうせい）しています。李明博（イミョンバク）本人は反日主義でしたが、大統領に就任すると、自分の気持ちを抑（おさ）え、日韓関係の改善に努めようとしたのでした。

しかし任期の後半には、他の大統領と同様に、反日の姿勢を示すようになります。

延坪島（ヨンピョンド）砲撃（ほうげき）（2010年11月23日）

二〇一一年八月、韓国の憲法裁判所において、「韓国政府は、慰安婦問題について、日韓請求権協定が定めた手続きに従って解決させておらず、憲法違反である」という判決が下されます。

この請求権協定とは、前に述べた一九六五年の日韓基本条約にもとづくものです。ここには「両締約国及びその国民（法人を含む）の財産、権利及び利益並びに両締約国及びその国民の間の請求権に関する問題が」「完全かつ最終的に解決されたこととなることを確認する」と明記されています。つまり、この条約で日本は無償で三億ドル、有償で二億ドルの経済協力を実行し、その後はお互いが請求権を破棄することになっています。いわゆる「慰安婦問題」も、ここで解決しているというのが、日本政府の立場です。

ただしこの協定では、日韓で紛争が持ち上がった場合、まずは外交ルートで解決を図ること、それができなかった場合は、第三国を交えた「仲裁委員会」を設置してその決定に従うという条項があります。韓国の元慰安婦たちは、日本政府に対して補償を求める訴訟を起こしてきましたが、日本では「請求権協定で解決済み」とされ、却下されました。

そこで元慰安婦たちは、「慰安婦問題が解決済みかどうかをめぐって日韓で紛争があるのに、韓国政府が日本と交渉しないのはおかしい」と、韓国政府を憲法裁判所に訴えたのです。これを憲法裁判所は、「韓国政府が日本と交渉をしないのは、元慰安婦らの基本的人権を侵害しており、憲法違反である」としたのです。

こうなっては、条約上、解決済みであるとわかっていても、韓国政府は日本と交渉をせざるをえなくなってしまいます。韓国政府は日本政府に対し、請求権協定に関して協議を行うように申し入れますが、日本の立場は変わらず、これに応じませんでした。

一九九五年に設立された財団法人「アジア女性基金」の定義によりますと、慰安婦とは、「かっての戦争の時代に、一定期間日本軍の慰安所等に集められ、将兵に性的な奉仕を強いられた女性たちのこと」となっています。戦争で日本軍が行動範囲を広げるなか、アジア各地に慰安所が設置され、およそ四〇〇か所もありました。

そもそもは、日本兵士による中国人女性へのレイプ事件が起きたため、反日感情が高まるのを防ごうと、日本軍が慰安所を設置しました。当初、慰安婦になったのは、日本人や日本の領土だった朝鮮半島や台湾の女性たちでした。日本軍が東南アジアに進出すると、フィリピンやインドネシアの女性も慰安婦になっていきます。本人が同意して慰安婦になった場合もありますが、慰安婦を募る民間の業者にだまされたり、脅されたりして慰安婦にされたケースも多くありました。

一九九一年、韓国の元慰安婦だった女性が名乗りをあげ、日本政府に謝罪と補償を求めて提訴し、注目されるようになりました。日本政府は「民間の業者がやったことで、政府が関与した証拠はない」と否定します。しかし翌年、朝日新聞が「旧日本軍が慰安婦の募集を監督し、統制していたことを示す資料が見つかった」と報道します。これにより、韓国国内で、日本政府に対する批判が大きくなります。日本政府は対応を迫られ、軍が関係したことと、募集にさいして強要があったことなどを認め、謝罪したのでした。

これに応じるように、韓国では「日本政府は補償すべきだ」という声が高まりますが、条約によって韓国は一切の請求を放棄していますから、日本政府は取り合いません。

そこで日本は、政府としてでなく財団法人のかたちで「アジア女性基金」を設立します。民間からの寄付を募り、一九九五年から財団が解散する二〇〇七年まで、約四八億円を送って元慰安婦を支援します。これはフィリピンや台湾などの元慰安婦たちにも届けられました。しかし、韓国では受け入れられませんでした。韓国の市民団体やマスコミは「日本政府は民間に任せて責任逃れをしている」と批判し、日本政府から償い金を受け取った元慰安婦は「カネで魂を売った」などとうしろ指をさされることになったのです。日本としては、謝罪した上で誠意を示そうと財団を設立して償い金を用意したのですが、韓国には通じませんでした。

こうした世論の反日の空気に押し出されるように、李明博大統領の反日感情は表面化していきます。二〇一二年八月、李明博は韓国大統領として初めて、竹島に上陸するのです。島根県の竹島を韓国は「独島」という韓国の領土だと主張しています。これも前に述べましたが、李承晩政権の時代、韓国は一方的に境界線を引き、サンフランシスコ平和条約で日本が放棄する領土に含まれていなかった竹島を韓国領として実効支配を続けています。

この島に大統領として上陸し、反日を国民にアピールしたのです。当然日本政府は反発し、遺憾の意を伝えるとともに、国際法にのっとって公平な解決を提案する野田佳彦首相の名で親書を送りますが、韓国政府はこの親書を読まずに送り返しました。こうして日韓関係は、最悪の状態になっていきました。

親子二代の大統領

二〇一二年一二月、李明博大統領の任期満了にともなう大統領選挙が行われます。李明博大統領は、反日の姿勢を国民に示して存在を強調しましたが、企業から不正に資金を受け取ったことで国会議員だった兄が逮捕。さらに息子の名義で購入した土地の代金に政府資金が流用された疑いで、長男の自宅が家宅捜索を受けるなど、屈辱の幕切れでした。

大統領選挙に当選したのは、女性初の大統領となった朴槿恵でした。父の朴正熙も元大統領で、親子二代の大統領の誕生でした。前にも触れましたが、朴正熙は独裁的な権力を振るったことで批判も多い一方、韓国を大きく発展させて評価された人物でした。

一九七四年八月、光復節の祝賀行事の際に、朴正熙大統領の暗殺未遂事件が起こります。大統領は無事でしたが、そばにいた夫人に弾が当たり、夫人は死亡します。このとき朴槿恵はフランスに留学していましたが、急きょ帰国し、母親に代わってファーストレディの役割を果たすことになります。

しかし五年後の一九七九年一〇月、朴正熙大統領も側近の銃弾に倒れます。母も父も暗殺で失った朴槿恵は、しばらく政治の世界から離れ、財団や大学の理事長を務めました。

一九九八年に国会議員補欠選挙に当選し、政界に復帰します。ハンナラ党（当時）の副総裁などを歴任し、二〇〇二年には北朝鮮を訪れて金正日総書記と会談をしています。また二〇〇五年にはハンナラ党代表として竹島（独島）に上陸します。中国では胡錦濤国家主席と会見し、翌年には関係の悪化している日本を訪れ、小泉純一郎首相と会談して外交能力をアピールしました。

ところが二〇〇六年五月、ソウル市長選挙の応援で演壇に上がろうとしていた朴槿恵は、暴漢に襲われ右耳の下から首までを切りつけられます。あとわずかで頸動脈に達するところで、九死に一生を得ました。両親は暗殺され、自身もテロの標的になる。こうした試練が、朴槿恵をタフな大統領にしていきました。

父の朴正熙は、一九六五年の日韓基本条約を締結した大統領です。国内には反対する意見が多くありましたが、それを押し切り、交渉では日本に妥協して賠償金請求を取り下げています。「親日大統領」とまで言われた朴正熙でしたが、朴槿恵としては「娘も同じだろう」と言わせるわけにはいきませんでした。真意は別として、かたくなに反日の姿勢をくずしませんでした。

「告げ口外交」と逮捕

二〇一三年、朴槿恵政権は発足にともない、「経済復興」と「国民幸福」、そして「文化隆盛」を通じて希望の新時代を切り開いていく、と宣言します。また父の時代の経済発展「漢江の奇跡」にあやかり、「第二の漢江の奇跡」を目標に掲げます。

大統領就任後の朴槿恵は、アメリカをはじめ、中国やヨーロッパを歴訪して積極的に外交を推し進めます。

その一方、外遊の先々で「日本は、北東アジアの平和のために正しい歴史認識を持たねばならない」、「日本の一部の政治家は、元慰安婦に謝罪する気もなく、侮辱し続けている」、「安倍首相との首脳会談を行っても得るものはない」などと日本への批判を繰り返し、そのやり方は「告げ口外交」と呼ばれました。

しかし、日本だけでなく韓国でも「告げ口外交」には反発があり、アメリカも日米韓の連帯を求めたため、効果はありませんでした。

反日姿勢を貫き、「国民の幸福」や「希望の新時代」という、前向きで明るい言葉に国民は期待を寄せましたが、与党での内紛などで掲げた政策はなかなかすすみません。そして、そこに起きたのが「セウォル号沈没事故」でした。

二〇一四年四月、仁川から済州島に向かっていた大型フェリーのセウォル号が、朝鮮半島の南西の海上で転覆し、沈没します。船には修学旅行の高校生など乗員と乗客を合わせて四七六人が乗っていました。この事故では、乗務員の多くが乗客の避難誘導をせずに逃げ出し、多くの犠牲者を出すことになりました。また救助に駆けつけた海洋警察も、船に乗り込んで救助することなく、ただフェリーの外にでた人を救出するだけでした。その結果、乗員と乗客の二九九人、その後の捜索にあたった消防隊員やダイバー八人が死亡、五人が行方不明になっています。

さらには、政府関係者が行方不明者の家族が集まる体育館で、家族に背を向けてカップラーメンを食べていたり、犠牲者の名簿の前で記念写真を撮ろうとしたりするなど、無神経な振る舞いに国民の怒りは爆発します。
朴槿恵大統領はおよそ二週間後に、閣議の席上で、事故を予防できなかったことや初動の対応の悪さなどを国民に謝罪します。しかし、遺族からは、「非公開の謝罪は謝罪ではない」などと批判され、政府の支持率は急降下します。

二〇一六年の総選挙では、与党は大敗を喫し、さらに大統領の友人による国政介入問題が発覚します。これは、朴槿恵大統領が友人の崔順実に機密性の高い文書を渡し、演説の内容などを相談していたというもので、大統領はこれを認めて謝罪します。しかし国民の怒りは収まらず、大規模なデモへと発展します。さらには、崔順実が関係する財団や団体への資金拠出を財閥企業に強要していた事実や、親族の大学への不正入学などが次々に明るみに出ます。二〇一六年一二月、国会で朴槿恵大統領の弾劾訴追案の採決が行われ、賛成二三四、反対五六で可決されます。これによって朴槿恵大統領は職務停止となりました。

二〇一七年三月、憲法裁判所は国会での弾劾採決を妥当と判断して朴槿恵を罷免しました。朴槿恵は、韓国の憲政史上初の罷免された大統領となったのです。その後、朴槿恵は職権乱用や収賄、財閥企業に対して財団への資金拠出強要の疑いで逮捕されます。二〇二一年には懲役二二年の実刑判決が確定しますが、同年に特赦によって釈放されています。

キーワード　弾劾（だんがい）

国会議員や裁判官などの身分保障のある公務員を、義務違反（いはん）や非行の理由で、国会の訴追（そつい）によって罷免（ひめん）または処罰（しょばつ）する手続きのことです。韓国では、大統領の職務違反（いはん）や不正などを審議（しんぎ）して罷免（ひめん）することができます。国会在籍（ざいせき）議員（定数三〇〇）の過半数で弾劾訴追案（だんがいそついあん）を国会に発議することが可能で、三分の二以上の賛成で可決します。

日本では裁判官、人事官について弾劾（だんがい）制度があり、裁判官の場合は国会議員による裁判官弾劾（だんがい）裁判所が、人事官の場合は最高裁判所が手続きを行います。

進歩（革新）派と保守派

朴槿恵（パククネ）大統領の罷免（ひめん）にともなう大統領選挙で、第一九代大統領に選ばれたのは、進歩（革新）派政党「共に民主党」の文在寅（ムンジェイン）でした。弁護士であり、盧武鉉（ノムヒョン）とともに法律の世界で働いていた文在寅（ムンジェイン）は、盧武鉉（ノムヒョン）が大統領になると側近として彼（かれ）を支えました。二〇一二年の大統領選挙では野党候補として朴槿恵（パククネ）と争いますが、わずかの差で敗れていました。

韓国では、民主化運動に参加した人たちを中心とした「進歩（革新）派」と、反共軍事政権から始まった「保守派」が政治の中心をなしていて、政権与党も最大野党もこのどちらかで、アメリカの「民主党」と「共和党」の二大政党の関係によく似ています。

基本的に進歩（革新）派は、アメリカや日本と距離をおき、北朝鮮との融和を目指すといわれ、一方の保守派は、北朝鮮や中国に対して厳しく臨み、アメリカ寄りといわれてきました。

進歩（革新）派の文在寅大統領が掲げたキャッチフレーズが「積弊清算」でした。これは、積もり積もった過去の弊害を清算する、という意味で、つまり二代続いた保守派の、李明博政権と朴槿恵政権が行ってきた政策を全否定することを意味しました。

具体的には、政権にかかわるさまざまな部署に積弊清算委員会を設置して過去を検証し、問題があれば改善を目指しました。これは前政権の粗探しともとられましたが、不正や汚職を暴き出して正す姿は国民に受け入れられ、高い支持率を得ました。

また北朝鮮に対しては融和政策で臨み、二〇一八年四月には板門店で金正恩委員長と会談し、一一年ぶりとなる南北首脳会談を実現させました。同年九月には平壌を訪れ、軍事的な敵対関係を解消していくことなどが共同宣言として発表されました。

また、アメリカのトランプ大統領が強く望んだ北朝鮮との接触の調整役となり、米朝首脳会談の橋渡しをしました。

アメリカのトランプ大統領は、前オバマ政権が北朝鮮との対話を行わなかったために、核実験やミサイル実験を野放しにしたと考え、米朝会談と朝鮮半島の非核化が実現すれば自分の実績になるはずだと考えます。一方の金正恩は、核をちらつかせながらアメリカを交渉の場に出し、経済制裁の解除や北朝鮮の安全を保障させたいと望んでいました。早期の会談を求める点において、両者の意見は一致したのです。

そこで仲介に乗り出したのが韓国の文在寅でした。そもそも進歩（革新）派の文在寅政権は親米ではなく、人権派の弁護士だった文在寅自身も差別的な発言を繰り返すトランプとは意見が合わなかったはずです。しかし、米朝の接近を手助けすることは、両国に対して貸しを作ることになり、南北統一に向けて新たな一歩を踏み出せると考えました。米朝会談については「北朝鮮の現代史」で述べますが、結局韓国は米朝の接近に力は貸したものの、交渉は行き詰まり、トランプも金正恩も文在寅を振り向くことはありませんでした。

南北首脳会談での文在寅（右）と金正恩（2018年4月）

発足当初は支持率の高かった文在寅政権も、任期の終わりが見えてくるとレームダック化します。そして、二〇二二年の大統領選挙では、「共に民主党」の候補は敗れ、保守派である「国民の力」の尹錫悦が大統領に選ばれます。

任期の最後、文在寅は改正検察庁法と改正刑事訴訟法を国会で強行採決し、成立させます。これは、検察が持つ捜査権のほとんどを剝奪する法律で、退任後、自身や周辺への捜査を阻止する狙いがあると批判され、国民の多くが反対していました。

進歩（革新）派と保守派の政権交代は、アメリカの二大政党の政権交代によく似ています。本来は、前政権の政策のどこに誤りがあり、何が国民に背を向けさせたかを検証しながら新政権を発足させるべきで、その繰り返しが政治を成長させるはずです。ところが、アメリカにおいても韓国においても、二つの勢力が拮抗しながら政権交代を繰り返していくと、相手を引きずり下ろすための言動が目立つようになっています。スキャンダルを探し、敵対政党をおとしめることによって政権を奪う。こうした対立構造と分断が、顕著になっているのです。

コラム　保守派政権と進歩（革新）派政権

二大派閥で政権交代が行われるようになってからの流れを見てみましょう。カッコの中は所属政党です。

保守派　全斗煥（民主正義党）　盧泰愚（民主正義党→民主自由党）　金泳三（民主自由党→新韓国党→ハンナラ党）
進歩派　金大中（新政治国民会議→新千年民主党）　盧武鉉（新千年民主党→ヨルリンウリ党→大統合民主新党）
保守派　李明博（ハンナラ党→セヌリ党）　朴槿恵（セヌリ党→自由韓国党）
進歩派　文在寅（共に民主党）
保守派　尹錫悦（国民の力）

池上ポイント

- 北朝鮮に対する「太陽政策」が効果がないと判断した李明博大統領は、これを打ち切り、「非核・開放・三〇〇〇」を掲げます。北朝鮮にとっては無償の支援に条件が付けられたようなものでした。北朝鮮の反発は声明だけにとどまらず、軍事行動を起こす結果になりました。
- 韓国の憲法裁判所は、「慰安婦問題において政府が行動を起こさないのは憲法違反である」という判決を下します。政府間では「解決済み」とされていましたが、世論を無視できなくなった韓国政府は、日本に請求権の交渉を申し入れますが、日本は取り合いません。怒りの収まらない韓国に対し、日本政府は謝罪して「アジア女性基金」を設立し、個々の賠償に乗り出しますが、元慰安婦の支援団体はこれさえも認めませんでした。

●李明博は大統領として初めて、竹島（独島）に上陸します。支持率低下を抑えるための「反日」姿勢でしたが、日韓関係はさらに悪化していくことになりました。

●朴槿恵は、初の女性大統領で、親子二代の大統領でした。「日韓基本条約」を締結し「親日大統領」と呼ばれた父のイメージが自身に降りかかるのを避けるためか、就任当初から「反日」を貫きました。歴訪する先々で日本批判を繰り返し、「告げ口外交」といわれました。

●朴槿恵の罷免で大統領になった文在寅は、積弊清算を掲げて保守政権の政策を否定します。また北朝鮮とは一一年ぶりに南北会談を行い、融和をアピールします。さらには米朝首脳会談にも手を貸し、緊張緩和を遂げられるかに見えました。しかし、トランプと金正恩は、お互いの接近は望んでいましたが、韓国に興味はなく、文在寅ははしごをはずされた形になりました。

朝鮮民主主義人民共和国

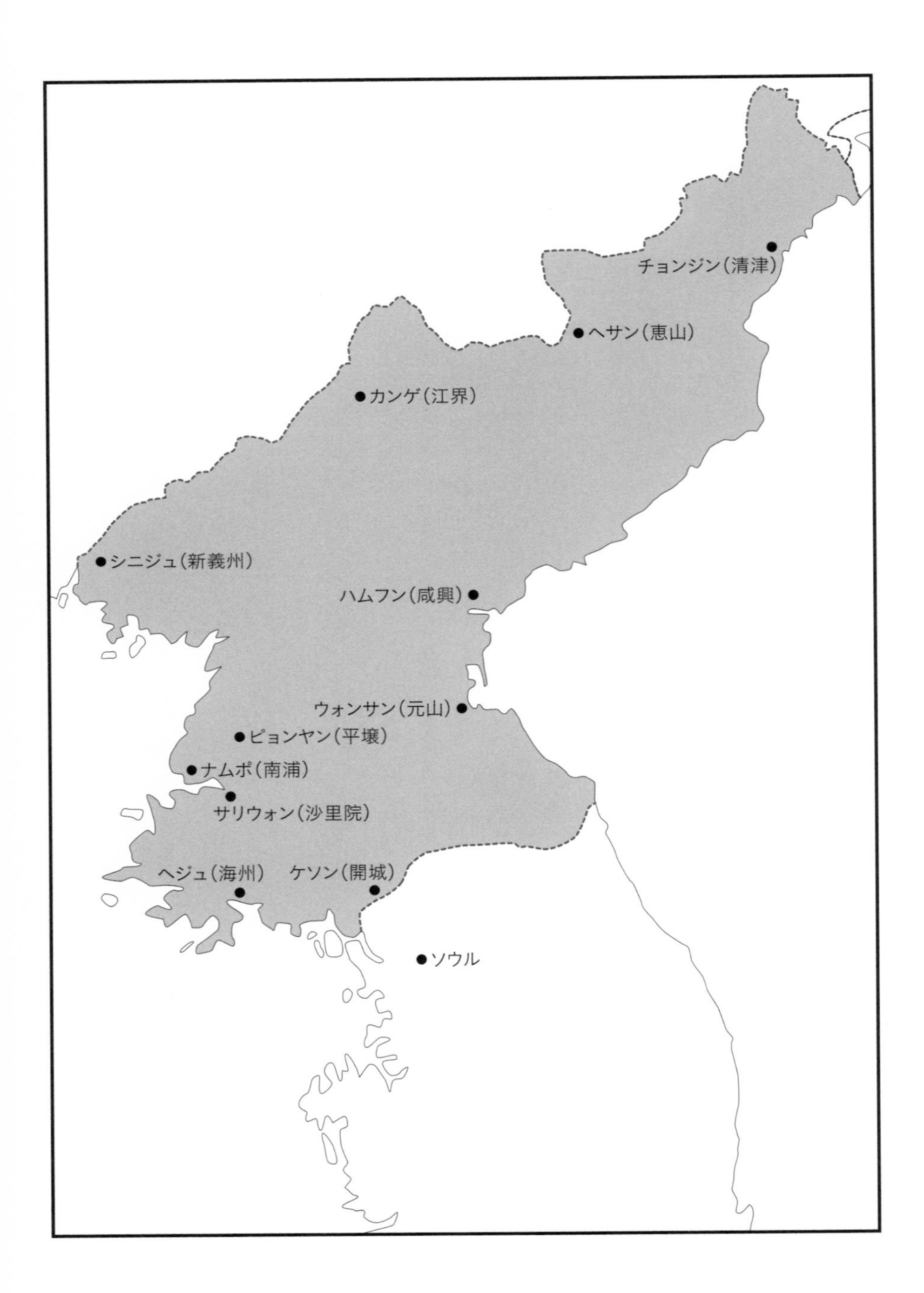

チョンジン（清津）
ヘサン（恵山）
カンゲ（江界）
シニジュ（新義州）
ハムフン（咸興）
ウォンサン（元山）
ピョンヤン（平壌）
ナムポ（南浦）
サリウォン（沙里院）
ヘジュ（海州）
ケソン（開城）
ソウル

国のようす

北朝鮮（朝鮮民主主義人民共和国）は、第二次世界大戦後、かつて日本が統治していた朝鮮半島を連合国が分割統治することによって、韓国と分断されて生まれました。

南側の韓国はアメリカ主導で国家建設が進められ、北側の北朝鮮はソ連（ソビエト社会主義共和国連邦）と中国を後ろ盾に国がつくられました。東西冷戦の時代、分断された半島がそれぞれの陣営に組み入れられたことにより、大きく姿を変えました。

日本は北朝鮮と国交がありません。つまり人々の往来も貿易も自由に行うことができません。その上北朝鮮は閉鎖的な国で、国内の情報もほとんど伝わってきません。日本人を拉致した歴史もあり、さらには核実験やミサイル発射実験を繰り返し、それらが日本の脅威であるというイメージを強くしています。

北朝鮮が日本と大きく違うのは、「民主主義人民共和国」と謳いながら、民主主義の国ではないというところでしょう。北朝鮮においては、自由な発言や主張は認められません。国の在り方や方針に、疑問を持ったり不満をもらしたりすることさえ犯罪になります。しかしこれは、過去の独裁国家にはよくあったことで、日本も似た状態だったことがありました。

日本とは海をへだてた隣の国です。その北朝鮮には約二五〇〇万人もの国民が暮らしています。学校があり、仕事があり、生活があります。なかなか実態は伝わってきませんが、どう向き合うかを考えるためにも、どんな国かを知ってほしいと思います。

国土と気候

北朝鮮の面積は、およそ一二万平方キロメートルで、朝鮮半島全体の約五五パーセントを占め、これは日本の面積の三三パーセントにあたります。

国土の大部分は山脈と高原で、東部の日本海沿岸と、西部の大同江流域が平野部になっています。

北部の中国との国境に標高二七四四メートルの白頭山があり、ここを発して西に流れるのが鴨緑江、東に流れるのが豆満江という川で、この二つの川が中国およびロシアとの国境をなしています。

気候は大陸性の亜寒帯気候で、夏は北部の高原地域は涼しいのですが、南西の平野部は暑くなり、降雨もこの時期に集中します。また冬は大陸の寒気団の影響を強く受けるため、雪は少ないのですが厳しい寒さが続きます。

民族と言語

人口は約二五七八万人（二〇二〇年、国連統計部）で、韓国のおよそ半数、日本の四分の一以下です。民族の大半は韓国と同じ朝鮮民族です。そもそも一つの民族が半島を治めていて、それが南北に分断されたのですから、民族も言語も同じはずです。

ただ分断後は、自国の民族を北朝鮮では朝鮮民族と呼び、韓国では韓(はん)民族と呼んでいますし、言語も北朝鮮では朝鮮語、韓国では韓国語と呼んでいます。

さらにいうと北朝鮮と韓国は休戦状態にあるため、双方(そうほう)が支配地域を朝鮮半島全土としています。ですから北朝鮮は韓国のことを「南朝鮮(ナムチョソン)」と呼び、韓国では北朝鮮を「北韓(プッカン)」と表現しています。お互(たが)いを正式国名で呼ばない状態が続いているのです。

国交

国交というのは、国と国がお互(たが)いを主権国家と認め、その上で外交活動や交流がある関係をいいます。

先にも述べた通り、日本は北朝鮮と国交がありません。それは、アメリカや韓国も同様です。では、北朝鮮と国交のある国は、どのくらいあると思いますか？

じつはその数、一五九か国と一地域。国連に加盟している国の八割以上の国が、北朝鮮と国交があるのです。ただし、国交があるからといって、かならずしも友好国であるわけではありません。とくにヨーロッパやアフリカ、南米の国々(くにぐに)にとって北朝鮮は遠い国です。利害関係も危険性もほとんどないことから、拒否(きょひ)する理由がないので国交を結んでいるという国が多いといわれています。

その一方で、ロシアや中国は北朝鮮にとって大きな後ろ盾(だて)であり、その関係は世界の情勢にも影響(えいきょう)を与(あた)えています。

首都

国の行政区分は、九の「道」と、羅先(ラソン)、南浦(ナムポ)、開城(ケソン)の三つの特別市、そして平壌直轄(ピョンヤンちょっかつ)市に分けられています。首都は平壌(ピョンヤン)で正式には平壌直轄(ピョンヤンちょっかつ)市といい、人口およそ三〇〇万人の、北朝鮮最大の都市です。かつては高(こう)句麗(くり)の都として栄えた平壌(ピョンヤン)でしたが、朝鮮戦争では戦場となり、大部分が破壊(はかい)されました。その後ソ連の援助(えんじょ)を受けて、首都として復興しました。

市の中心には大同江(テドンガン)が流れ、西岸の町の中心部には金日成(キムイルソン)広場があります。ニュースなどで伝えられる軍事パレードは、この広場で行われています。対岸には一九八二年、金日成(キムイルソン)主席の七〇歳(さい)の誕生日を記念して建てられた、高さ一七〇メートルの主体思想塔(チュチェしそうとう)があり、街のシンボルになっています。

万寿台議事堂は、北朝鮮の最高主権機関である最高人民会議が開会される建物で、その他、朝鮮労働党中央委員会本部庁舎、朝鮮中央歴史博物館、人民大学習堂（図書館）、など、政治機関や文化施設が集まっています。

また大同江の中州である綾羅島には、世界最大級といわれる、綾羅島五月一日競技場（綾羅島メーデースタジアム）があります。収容人数は一五万人といわれ、一〇万人以上が参加する、アリラン祭のマスゲームなどもここで行われています。

主体思想

後に「現代史」の章でくわしく述べますが、朝鮮半島が分断されたきっかけは、第二次世界大戦後の、アメリカとソ連による支配地域争いでした。その結果、ソ連の主導のもとに独立した北朝鮮は、ソ連や中国と同様の社会主義体制を敷くことになりました。

建国時に首相に就任したのが金日成でしたが、これもソ連の思惑によるものでした。抗日運動の結果ソ連に逃げ込んでいた金日成が、ソ連にとってはもっとも扱いやすいと考えたからです。

その金日成が、名実ともに指導者であることを示したいために起こしたのが朝鮮戦争でした。ソ連も中国も、開戦に乗り気ではありませんでしたが、金日成は両国をたくみに説得し、戦争に突入しました。

ところが休戦後の一九五〇年代半ばから、ソ連と中国の関係が悪くなる、いわゆる「中ソ対立」が起こります。両国から支援を受けていた北朝鮮は、板ばさみの状態になりますが、そこで生まれたのが、政権にとって都合のいい独自の路線。これが主体思想の元になったのでした。

「主体」には、「ソ連でも中国でもない、朝鮮式の」という意味があります。「政治における自主、経済における自立、国防における自衛、思想における主体」を掲げ、独自の思想を強調したのですが、結局は金日成による独裁体制を正当化するためのものでした。

主体思想が北朝鮮の憲法に盛り込まれたのは、一九七二年です。それ以来国家の指導方針とされ、現在まで続いています。

この思想が国民に求めるものは、朝鮮労働党と指導者への絶対的な忠誠です。偉大なる指導者がいるから

平壌直轄市の中心部にある金日成広場

こその党であり国家である、という考えが「指導」や「教育」によって国民にしみこんでいるのです。そこには日本のような個人の自由はありません。政治に対する疑問や不満を抱くことは犯罪になります。

現在の北朝鮮は、この思想を徹底的に国民に浸透させたことで成り立っていて、その上に、国民の幸福も不幸もあることを知っておいてください。

教育

義務教育は、幼稚園の一年、小学校の五年、初等中学校三年、高等中学校三年の一二年間で、二〇一二年に、それまで四年だった小学校が一年延長されることが決まりました。

この義務教育でもっとも重要とされているのが、主体思想の教育です。金日成を始めとする金一族がどれほど優れた指導者であるかを説き、労働党と指導者が絶対的な存在であることを教え込みます。生徒たちに疑問を抱かせるような余地はなく、徹底的に暗記させられ、体にしみこませるといわれています。

社会主義の国である北朝鮮においても、受験は子供の将来を決める重大事のようです。幼稚園から大学まで、名門校と呼ばれる学校があり、とくに大学に進学できれば、兵役を遅らせることができ、特権的な階級に所属できる可能性が高くなります。ただ、かつての受験は個々の能力が重視されたようですが、近年は推薦してもらうための教師への賄賂や、試験監督官などへの賄賂が必要になっているとの報道もあります。

またすべての教育費は無償だと宣伝する北朝鮮ですが、じっさいは教材を手にできない学生も多く、学校に通えない学生もいるようです。

市民生活において大きな変化が起きたのが、一九九五年からの大飢饉で、多くの餓死者を出したといわれています。さらに洪水も起き、農地は荒れて食料不足が続きます。また、度重なるロケット発射実験や核実験で、世界から経済制裁を受け、国民への物資の配給も減少したり滞ったりしているといわれています。こうした状況から、賄賂が横行する状況が生まれ、貧富の差が拡大しているようです。

北朝鮮の子どもたち　マスゲームの練習

政治体制

憲法には、「朝鮮民主主義人民共和国は、朝鮮労働党の指導の下にすべての活動を行う」と明記されていて、議会よりも国の行政機関よりも、朝鮮労働党は立場が上であることを示しています。

政治体制は、その朝鮮労働党による一党独裁の社会主義体制で、総書記は金正恩（キムジョンウン）。建国以来、金日成（キムイルソン）、金正日（キムジョンイル）そして金正恩（キムジョンウン）と、世襲（せしゅう）三代の支配体制が続いています。

国務委員会は最高政策的指導機関とされていて、その委員長も金正恩（キムジョンウン）が務めています。つまり労働党においても国の最高機関においても、そのトップにある金正恩（キムジョンウン）は、国家の最高指導者の地位にあるのです。

議会は一院制で、国会にあたる最高人民会議は、任期五年の六八七人の代議員で構成されています。代議員は選挙で選ばれ、誰（だれ）でも立候補できることになっていますが、実際は朝鮮労働党中央委員会によって指名された候補者以外は立候補することができません。さらには、全ての選挙区で一名しか立候補しないので、有権者は複数の候補者から代表を選ぶことはできません。

ちなみに投票するには有権者登録が必要で、棄権（きけん）は許されていません。投票は、投票用紙に何も記入せずに投票箱に入れれば候補者を信任したことになり、反対する場合は列から離（はな）れた場所で「×印」をつけます。つまり、誰（だれ）が不信任の票を入れたか、すぐにわかるような仕組みになっているのですね。不信任票を投じるのは、労働党の意思に反対しているということになり、すぐさま拘束（こうそく）されます。ですから、投票率、信任率ともにほぼ一〇〇パーセントの選挙になっているのです。

朝鮮労働党以外にも、朝鮮社会民主党と天道教青友党という政党もあるとされていますが、これらも労働党の指導の下にありますから、野党の政党ではありません。

軍事

軍の正式名称は、朝鮮人民軍です。一九六二年に打ち出された「全軍の幹部化、全軍の近代化、全人民の武装化、全土の要塞化」という四大軍事路線が基本になっています。

兵力はおよそ一二八万人とされ、その約三分の二が韓国との軍事境界線から一〇〇キロメートル以内に配置されているようです（米韓両軍の地上兵力は六〇万人弱）。

男子は一七歳で高等中学校（日本の高校にあたる）を卒業すると、人民軍に徴兵されます。二〇二〇年には服務期間は男子が一三年、女子（志願制）は八年でしたが、二〇二一年あたりから兵員の削減に踏み切り、男子八年、女子五年に短縮されたと伝えられています。

考えてみてください。高校を卒業した男子のほとんどが兵役に就くわけです。また志願した多くの女子も。日本でいえば、大学に進学するか、社会に出るかの年齢です。そして入隊してからおよそ一〇年間、軍人として過ごします。つまり工場にも農場にも、この年代の若者がいないということになるのです。建設現場などでは軍も動員されているようですが、一般社会での労働力不足は当然のことといえるでしょう。
これを補うために服務期間が短縮され、従来より早く退役した若者が、工場や農場に配置されているようです。

南侵トンネル

朝鮮戦争は休戦中ですが、北朝鮮は戦争再開の準備を進めていました。その典型的な例が「南侵トンネル」と呼ばれるものです。

一九七四年、非武装地帯の韓国側で、北からのトンネルが発見されました。中にはソ連製のダイナマイトや北朝鮮製の電話機がありました。非武装地帯の地下を掘り進め、兵士や武器をすみやかに韓国側に送り込むためのトンネルであることは明らかでした。その後、二本目、三本目と発見され、一九九〇年に四本目も見つかっています。

なかでも第三のトンネルはとりわけ断面が大きく、戦車も通行可能で、一時間に約三万人もの兵士を送り込めるようになっていました。

韓国の抗議に対し、北朝鮮は、これらのトンネルの存在を認めていませんが、韓国の『国防白書』によると、二〇本以上のトンネルが掘られていると推定されます。

第三トンネルは、長さ一六三五メートルで、韓国の首都ソウルから五二キロメートルに位置し、現在は境界線の地下で、コンクリートでふさがれています。一般にも公開されていて、内部をトロッコに乗って見学できるようになっています。

帰国事業

日本が朝鮮半島を統治していた時代、大勢の朝鮮半島の人たちが日本に渡ってきました。植民地政策で職を失った人たちや、日本での新たな生活を目指した人たちでしたが、中には「徴用」され、本人の意思ではなく日本に連れてこられた人もいました。その数は、一九四四年には一九〇万人を超えるほどでした。

一九四五年に日本が半島から撤退し、祖国が解放されると、多くの朝鮮半島出身者が国に帰っていきまし

発見された南侵トンネルを警護する韓国軍兵士（1978年10月27日）

た。しかし、日本にいる間に家族や親せきがいなくなったり、その後朝鮮戦争が始まったりして、およそ三〇パーセントの人たちが日本にとどまることになります。その在日朝鮮人は、日本で差別を受けます。進学や就職においても差別され、日本人の名前を名乗り、安い給料で働くしかなかった人たちが大勢いたのです。その在日朝鮮人に目をつけたのが北朝鮮でした。日本で差別されている朝鮮人を帰国させ、労働力不足を補おうと考えたのです。

　朝鮮戦争休戦後の北朝鮮は、その実情を知ることが困難で、「社会主義のもとに、医療も教育費も無償で、誰でも大学に進学できる地上の楽園だ」と宣伝していました。

　一九五九年から始まった帰国事業に、約九万三〇〇〇人の半島出身者が希望を持って参加しました。彼らと結婚した、日本国籍の家族約六八〇〇人も、北朝鮮に渡りました。

　しかし彼らを待っていたのは、さらなる差別と貧困でした。一部の手に職のある人たちを除き、大半は日本よりも厳しい生活を送らざるを得ませんでした。

日本人拉致事件

　一九七〇年代から一九八〇年代にかけて、日本の各地で失踪事件や行方不明事件が多発しました。これらの事件は各地の警察がそれぞれに捜査していて、関連付けられることはありませんでしたが、一九八五年に韓国のソウルで北朝鮮の工作員が逮捕され、北朝鮮による拉致が疑われるようになりました。その工作員の持っていたパスポートが日本人のもので、この五年前に宮崎で失踪していた人になりすましていたのです。

一九八七年には北朝鮮の工作員によって、大韓航空の旅客機が空中で爆破される事件が起こります。この実行犯の一人、金賢姫の証言で、一九七八年に行方不明になっていた田口八重子さんから日本語や日本の習慣を教わったことがわかり、北朝鮮による拉致が大きく報道されるようになりました。しかし、捜査をする警察も日本政府も、一連の失踪事件に北朝鮮がかかわっていることを認めたのは、一九八八年になってからのことでした。

一九九一年から、日朝国交正常化交渉が始まります。その交渉のなかで、日本側は初めて大韓航空機爆破事件に触れ、金賢姫に日本語を教えたといわれている李恩恵（田口八重子さんの北朝鮮名）について調査を要求しますが、北朝鮮は、拉致事件は存在しないと反発し、交渉は中断されてしまいました。

北朝鮮が拉致事件を認めたのは、二〇〇二年の小泉首相と金正日国防委員長との首脳会談でした。金委員長は「拉致事件は、特殊機関の一部の英雄主義に走った者の行為で、関係者はすでに処罰した」と述べました。つまり国や軍の指示ではなく、一部の工作員などが功績になると思って勝手にしたことだ、という説明でした。

金委員長は、拉致事件があったことを認めて謝罪しましたが、その背景には深刻な食料不足があり、日本からの支援を狙ったものでした。

北朝鮮は拉致被害者の四人の生存と八人の死亡を確認したと発表し、その後に認めた一人を加えた五人は帰国を果たすことになりましたが、死亡されたとする人の遺骨が別人のものだと判明し、不信感が強まります。二〇〇四年には被害者の家族八人も帰国しましたが、その後は大きな進展はみられていません。

二〇二一年の時点で、日本政府は一七人の拉致被害者を認定しています。さらに北朝鮮による拉致の可能性を排除できないとする人が八七三人にのぼるとしています。

脱北

「脱北」という言葉をきいたことがあると思います。北朝鮮の国民が国外に脱出することをいい、その人たちを脱北者と呼んでいます。

一九四五年に連合国による朝鮮半島の分割統治が始まり、さらに朝鮮戦争もあって、一〇〇〇万人ともいわれる離散家族が生まれました。同じ国に住んでいたのに、境界線によって家族が別の国の国民になったのです。

北朝鮮は一般国民の海外への渡航を認めていません。外国へ行くには、国の許可が必要で、認められるのは外交官など、ごく一部の者に限られています。ですから休戦中である韓国の家族や親せきに会うこともかないません。そこで、一般国民が国を出るには、危険な手段で脱出を試みることになるのです。

脱北者の数は、一九九五年あたりから急増しました。その前年から干ばつと水害が続いて発生し、大量の餓死者を出したといわれています。国からの食料配給は滞り、生活苦から国を出る決意をした人が多くいたのです。

北朝鮮と韓国の間には軍事境界線があり、両国の兵士が警備にあたっているので、ここを越えることはできません。そこで脱北者の多くは、中国との国境へ向かいます。国境線には鴨緑江と豆満江の二本の川が流れていますが、比較的川幅がせまく、冬には凍り付く豆満江を渡って中国へ脱出するのが主なルートとされています。

ただ、中国政府は脱北者を難民と認めていないため、中国側の警備隊に発見されればただちに送り返されてしまいます。国境を無事に越えられても、警備兵の目を逃れ、潜伏しながら韓国の支援者たちや、外国の領事館などにたどりつかなければならないのです。命がけで北朝鮮を逃れて韓国に入った人は、南北分断以来、三万人を超えています。

多くの脱北者は、その後中国を脱出し、他国を経由して韓国に入っています。当初韓国は、脱北者が北朝鮮のスパイである可能性を考え、脱北者は厳しい取り調べや差別を受けたりしましたが、現在は受け入れる環境もしだいに整い、韓国での生活に適応するための支援が受けられるようになっています。

核開発とミサイル開発

北朝鮮が核開発の必要性を考えるようになったのは、朝鮮戦争がきっかけでした。アメリカの介入で大打撃を受けたことで、通常兵器ではかなわないアメリカとの戦いを避けるためにも、核抑止力を望むようになったのです。さらに核兵器でアメリカを脅し、交渉の場に引き出して、自国の安全を保障させる狙いがありました。

くわしくは「現代史」の章で述べますが、北朝鮮が核を手に入れたのは、ソ連からでした。エネルギー確保のための平和利用を約束して、原子炉を供与させます。ここから核兵器となるプルトニウムを取り出し、さらにはウラン濃縮の技術をパキスタンから密かに持ち込み、核爆弾を完成させたのです。

核兵器を使用するには、遠くまで飛ばせる運搬手段が必要になります。それがミサイルです。北朝鮮のミサイル開発は着実に進められていて、二〇〇九年には、日本の東北地方の上空を通過し、太平洋に届く中距離弾道ミサイルを発射します。その後もミサイル発射実験は繰り返され、日本や韓国、そしてアメリカを挑発しています。北朝鮮とすれば、なんとかアメリカと交渉を進め、対等な立場を認めさせて、経済制裁の解除を目指しているのです。

北朝鮮旅行

二〇二三年の時点で、北朝鮮の度重なるミサイル発射に対して、日本は経済制裁を行っています。これにともない、北朝鮮国籍の人は入国禁止になっていて、日本人の北朝鮮への渡航の自粛を呼びかけています。しかしそれまでは、国交がないとはいえ、貿易も行っていましたし、北朝鮮への旅行も可能でした。ただし、ふつうの観光のように、どこでも自由に行ったり観たりすることはできませんでした。

私も過去二度、北朝鮮を取材で訪れています。二〇〇六年と二〇一一年のことでした。平壌の空港に着くと、待っていたのは二人の案内人でした。二人はやや古風な、でも流ちょうな日本語を話しました。そこでまず、勝手な行動をとらないように厳しく注意されました。どこへ行くにも、何をするにも、案内人の付き添いが必要なのです。

平壌には、外国人が泊まれるホテルが二つあり、宿泊先はあらかじめ決められていました。案内人の二人も私の滞在中は同じホテルに宿泊し、われわれの行動を監視していました。ふらっとホテルを出ても、そこにも一般人をよそおった監視員がいて、すぐに連れ戻されます。

無事に予定通りの取材はできましたが、どこまでも監視されている状態は、あまりに窮屈だったことを覚えています。ちなみに案内人の日本語がどこか古風だったのは、帰国事業で日本から北朝鮮へ渡った人たちが、当時のままの日本語を教えたのだろうと推測しています。

観光客も同様に、必ず案内人の同行が必要です。北朝鮮への観光は、中国からが圧倒的に多く、アメリカやヨーロッパからも訪れています。

世界遺産

北朝鮮には二つの世界遺産があります。その一つが二〇〇四年に登録された「高句麗古墳群」です。

日本では高句麗として知られるこの国は紀元前一世紀中頃から朝鮮半島に栄えた国で、四世紀から七世紀にかけて、中国北東部から朝鮮半島北部の広い範囲に多くの古墳群がつくられました。高句麗古墳群は平壌市と南浦市にある六三基の古墳群で、そのなかには当時の生活ぶりなどが描かれた、色鮮やかな壁画が残されています。

もう一つの世界遺産は「開城の歴史的建造物群と遺

「開城の歴史的建造物群と遺跡群」の一つ、開城南大門

跡群」です。

開城(ケソン)は北朝鮮南部の都市で、九一八年に成立した、日本では高麗(こうらい)王朝として知られる国の首都でした。一三九二年に李氏(りし)朝鮮によって滅(ほろ)ぼされて都市も壊滅(かいめつ)。その後再建されることはありませんでしたが、残された開城城壁(ケソンじょうへき)や開城南大門(ケソンナンデムン)など、高麗(こうらい)時代の文化を伝える遺跡が世界遺産として登録されました。

国営放送

北朝鮮のテレビ普及率(ふきゅうりつ)は八〇パーセント以上といわれていますが、電力不足のため、一日に視聴(しちょう)できる時間は限られています。テレビのチャンネルは四つあり、すべて国営で、朝鮮中央放送委員会という労働党直属の組織が運営しています。

朝鮮中央テレビはメインのチャンネルで、政府の公式発表の多くがここから流れます。チマチョゴリを着た女性アナウンサーが、強い口調でニュースを読む姿を見たことがある人も多いと思います。報道番組だけでなく、映画や音楽、アニメなどの娯楽(ごらく)番組もありますが、あくまで国営放送ですから、プロパガンダ色の強い内容になっています。プロパガンダというのは、特定の思想などに誘導(ゆうどう)する宣伝活動のことです。北朝鮮では、いかに指導者や労働党が国民を思い、いかにうまく国家運営ができているかを強調し、主体(チュチェ)思想が唯一(ゆいいつ)の正しい考えであることを国民に知らしめるのです。つまり、政府に都合の悪いことは、決して放送されないということですね。

この他に、映画や芸能などの番組を中心とする万寿台(マンスデ)テレビや、教育番組を放送する竜南山(リョンナムサン)テレビ、スポーツ中心の体育テレビがあります。

ラジオは国内向けに放送されるものと、海外に向けて放送されるものがあります。国内の代表的なものは朝鮮中央放送で、テレビの朝鮮中央テレビと同様の役割を果たしています。

平壌(ピョンヤン)放送は、朝鮮語で海外に向けて放送されていて、主に韓国にいる北朝鮮出身者を対象にしています。地域によっては、電波の状態がよければ日本でも聞くことができます。またこの放送は、海外の北朝鮮工作員への暗号伝達手段として使われているといわれ、韓国は妨害(ぼうがい)電波を出して、聞くことができないようにしています。

「朝鮮の声」放送は、海外向けのラジオ放送です。日本語、中国語、英語、フランス語などでニュースや音楽番組を放送しています。日本では、大半の地域でふつうのラジオで受信することができます。

一方で日本からは、日本政府の運営で、北朝鮮にいる日本人、主に拉致(らち)による被害者(ひがいしゃ)に向けて、日本語での「ふるさとの風」と朝鮮語での「日本の風」というラジオ放送が流されています。また、政府とは別の、特定失踪者(しっそうしゃ)問題調査会が運営する「しおかぜ」も、日本人拉致被害者(らちひがいしゃ)への呼びかけを放送しています。

配給制

配給制とは、政府などが不足している物資を管理して、必要な分だけを国民に分配することです。アジア・太平洋戦争中には、日本でもマッチ、米穀、味噌、醤油などが配給制になりました。

北朝鮮においては、金日成の時代から、日々の食料品や生活必需品、衣類などが配給制になっていました。つまり国民は、工場などで働いた日数や家族の人数に応じて配給票を受け取り、それを配給所に持って行って必要な物資に交換していたのです。

日常生活に必要な物資がすべて配給でまかなえるなら、基本的にお金を使うことはありません。贅沢を望まず、国から与えられた仕事をすれば、生活ができたのです。しかし、国が管理する物資そのものが不足していくと、配給が遅れ、量は減らされていきます。現代史の章で述べますが、金日成が中国にならって推し進めた「主体農法」は非科学的で、農産物の生産を大きく減らしました。さらに水害や冷害が重なり、一九九〇年代には、配給制は完全に崩壊しました。

現在、労働者たちは、賃金を北朝鮮ウォンで受け取っています。しかし食料や生活用品がどこにでも十分に売られているわけではなく、食べるのに困る人たちが多くいるといわれています。度重なるミサイル発射実験などで、北朝鮮に対する経済制裁が続いていて、海外からの物資もほとんど入ってきていない状況です。建国記念日や太陽節など、国家の記念日に、食料などが配給されることはあるようですが、国民の生活を支える配給制度は、すっかりなくなっています。

現代史

分断のきっかけ

一九四五年、日本の敗戦により、朝鮮半島の日本統治は終わります。

韓国の章で述べた通り、それまでの朝鮮半島は、南北に分かれていたわけではありませんでした。日本が占領する李氏朝鮮時代以前も以後も、一つの朝鮮半島でした。

その半島を分断させるきっかけが、一九四五年八月の、ソ連軍による進駐でした。日本とソ連（ソビエト社会主義共和国連邦）は一九四一年に、相互の不可侵（どちらの領土にも攻め込まないということ）と、どちらかが第三国に攻撃された場合に中立を守る、という日ソ中立条約を結んでいました。しかしソ連は、日本の敗戦が濃厚と見るや、条約を無視して朝鮮半島北部に侵攻を開始したのです。

一九四三年一二月、アメリカ、イギリスなどの連合国は、カイロ宣言を発表します。この中で朝鮮半島については、「適当な期間を経て独立させる」という方針を確認しています。さらに一九四五年二月のヤルタ会談では、一定期間の信託統治を実施することで合意しています。

つまり、連合国は、長く日本に支配されていた朝鮮半島が、戦後すぐに独立国家を建設できるとは考えていなかったのです。信託統治とは、国際社会から認められた国がその土地を治めるというものです。朝鮮半島の場合は、アメリカとソ連が一定期間、統治することになっていました。

ソ連が朝鮮半島北部に軍を進めたのは、一九四五年八月九日でした。しかし日本軍の反撃はほとんどなく、二一日には半島北東部の主要港、元山を占領します。そして二四日には、咸興と平壌に進駐しました。

八月二六日には、ソ連軍司令官のチスチャコフ大将の名前で、布告文が発表されます。「ソ連軍と同盟国軍は日本を駆逐し、朝鮮は自由国になった」という内容でしたが、実際に進駐してきたソ連軍は急ごしらえの農民兵士の集団で、日本人、朝鮮人の区別なく略奪や暴行を繰り返していました。

このソ連の進駐に危機感を抱いたのは、アメリカでした。ヨーロッパにおいては、ソ連に占領された東部の国々で、ソ連寄りの政権がつくられようとしていました。これを見たアメリカは、朝鮮半島においても、ソ連に染まった国家ができることを恐れたのです。

アメリカは急きょ、朝鮮への派兵を進め、九月にソウルに進駐したのでした。その上で、朝鮮半島の中部を通っていた北緯三八度線を境に、北側をソ連が、南側をアメリカが統治することを提案し、ソ連もこれを受け入れたのでした。

キーワード　**ソ連（ソビエト社会主義共和国連邦）**

一九一七年に起こったロシア革命により、一九二二年に誕生した、世界初の社会主義国家です。ロシア、ウクライナ、白ロシア、カザフなど一五のソビエト社会主義共和国で構成され、最大の領土を保有した時期は、地球の六分の一の面積を占めていました。第二次世界大戦にはアメリカと同じ側の連合国として参戦しましたが、戦後は西側のアメリカ、東側のソ連として両陣営がけん制とにらみ合いを続け、「東西冷戦」の時代に入りました。

一九二四年に実権を握ったスターリンは、政敵を排除しながら個人崇拝を強め、三〇年近く独裁政治を続けました。

一九九一年一二月、ソ連最高会議がソ連の消滅を宣言し、連邦は解体されました。

親ソ国家建設に向けて

朝鮮半島に侵攻したソ連は、当初は日本軍の攻略に時間がかかると想定していました。つまり、占領した後、どのような政策をとるかという方針が定まらないままの侵攻だったため、思わぬ領土拡大に戸惑ったようでした。
平壌に進駐しておよそ一か月後、ようやくソ連の方針が明らかになります。その方針というのは、政策を推し進めるための人材をソ連から送り込むのではなく、日本軍の撤退後に各地で結成されていた人民委員会に、統治をゆだねるというものでした。

南部の人民委員会が建国準備委員会と連携したのに対し、北部の人民委員会は、共産主義者たちが中心勢力になっていました。その共産主義者たちをソ連が後押しして、ソ連寄りの国家建設を目指すことになったのです。

ソ連は、対日戦争を考えるようになった一九四二年、抗日ゲリラ活動をしていた朝鮮人部隊をソ連軍に編入させます。この朝鮮人部隊を指揮していたのが金日成でした。金日成の部隊は、日本が支配していた朝鮮北部で役所などを襲撃し、日本の治安部隊に追われていました。そして逃げ込んだ先が、ソ連だったのです。朝鮮人部隊はソ連軍兵士となり、金日成はソ連軍の大尉となったのです。そしてソ連の侵攻にともなって、北部の元山に送られていたのでした。

日本に抵抗した朝鮮人であり、ソ連軍兵士となった金日成は、ソ連にとって、いうことをきく国家建設の中心人物として好都合でした。

一九二五年に創設された朝鮮共産党は、日本による弾圧や内部の対立によって、一九二八年には壊滅状態になっていました。しかし日本の降伏によって再建が始まり、朴憲永を指導者として、一九四五年九月に再結成されていました。

その一方で、一〇月には北部の平壌に朝鮮共産党北部朝鮮分局が設立されます。共産党組織は、一国に一つという原則がありますが、この時点では朝鮮半島は国ではなく、また南北の分断も始まっていたため、分局が存在することになりました。

この朝鮮共産党北部朝鮮分局の責任者は、金鎔範でした。金鎔範は独立運動家で、ソ連へと渡り、その後地下活動のためにソ連から送り込まれていた人物でした。朝鮮共産党北部朝鮮分局は、翌年には北朝鮮労働党と名前を変え、北朝鮮独自の党になりました。

ソ連が後押しする人民委員会の指導者で中心人物だったのが曺晩植でした。曺晩植はキリスト教徒で民族主義者であり、日本の支配に非暴力抵抗運動を続けていたため、「朝鮮のガンジー」とも呼ばれて、人々の敬愛を集めていました。

一九四五年一一月、曺晩植は朝鮮民主党を結成し、党委員長になります。さらに、ソ連の呼びかけで各地の人民委員会から代表が出席する、北朝鮮五道行政局が創設され、曺晩植はその委員長に就任します。ソ連は、人々の支持を得るためには、人望の厚い曺晩植との連携が欠かせないと考えていました。

ところが、一二月の米英ソの外相会談において、朝鮮半島を五年間にわたって連合国が信託統治することをきめると、曺晩植はこの決定に激しく反対します。五年もの信託統治は、曺晩植が目指した朝鮮半島の早期独立とは相いれないものでした。これにより、曺晩植はソ連の方針に逆らったとされ、自宅軟禁に追い込まれます。その後の一九五〇年、朝鮮戦争のさなかに、ソ連軍によって処刑されます。

金日成という人物

ソ連が朝鮮半島に進駐し、親ソ国家の建設を目指したころ、北部にも曺晩植に代表されるような抗日活動家や独立運動家が多くいました。そんな中で、ソ連軍とともに朝鮮半島に戻った金日成は、政治家でもなく、民衆の支持もほとんどありませんでした。そんな金日成が、なぜ新しい国のトップになることができたのでしょうか。

金日成は、本名を金成柱といいます。一九一二年四月一五日に平壌郊外の村で生まれました。当時の平壌は、アメリカ人宣教師によるキリスト教教育が盛んで、両親はキリスト教徒でした。一九二七年、一五歳のときに満州の吉林に移り、中国人のための中学校に入学。共産主義の影響を受けたとみられています。当時、満州で抗日運動を行う朝鮮人の多くは、中国共産党に入り、中国人と行動を共にしていました。金日成も中国共産党に入党し、抗日パルチザン組織に加わります。

このころから本名の金成柱ではなく、金日成と名乗るようになったといわれています。「日成」とは「太陽に成る」という意味です。当時「キムイルソン」の名前で抗日闘争を戦った人物が複数いて、建国後は、彼らの功績がすべて、金成柱から改名した金日成が成し遂げたことにされました。

しかし、この時期の中国共産党の朝鮮人は、「親日で日本のスパイ」だとみなされることも多く、中国人党員によって多数が殺害されるという事件も起こっています。金日成自身も、一時は日本のスパイだという疑惑を持たれていました。

金日成の名前が知られるようになったのは、一九三七年六月、朝鮮半島北部の普天堡という町を襲撃したことによります。部隊は警察署を襲撃し、役所や住宅を焼きはらいましたが、五人の警察官は無事で、民間人二名が犠牲になりました。その後、警察隊の追撃により、撤退しています。警察隊との銃撃戦で双方に犠牲者が出ますが、攻撃自体は成果をあげたといえるものではありませんでした。

ところが、この攻撃が新聞で報道され、日本側が襲撃隊の指揮官に懸賞金をかけたことから、金日成の名前が知られるようになりました。現在の北朝鮮では、この普天堡の襲撃事件は、日本軍に大打撃を与えた「歴史的な戦い」ということになっています。

日本側は討伐の手をゆるめず、翌年の冬、金日成の部隊は雪の中を中国国境に向けて逃走します。これが現代の北朝鮮で、金日成が讃えられる一つの「雪の行軍（苦難の行軍）」ですが、要は逃走でした。追ってくる警察隊を待ち伏せして、成果をあげたこともありましたが、最終的には一九四〇年一〇月、ソ連領内に逃げ込みました。この直前に金日成は、行動を共にしていた金正淑と結婚しています。

ソ連にいた金日成は、満州などへの出撃を考えていたようですが、一九四一年に日ソ中立条約が結ばれたことで事情が変わります。ソ連は、金日成の部隊が日本との交戦になることを恐れ、ソ連領内の野営地にとどめます。

一九四二年、この野営地で第一子が誕生します。これが金正日です。ソ連で生まれたこともありロシア人風の「ユーラ」と名付けられました。ここでは弟の「シューラ」も生まれていますが、北朝鮮に帰った後に、庭の池で溺死したとされています。この時期のことは後に「日本の支配下にあった朝鮮にとどまり、日本軍と戦い続けた」ということになっています。そうなると、ソ連にいて、息子もソ連で生まれていては、つじつまが合いません。そこで、金正日は白頭山の山中にあった秘密基地で、一九四二年二月一六日に生まれたということになっています。

ソ連が日本への攻撃を考えるようになると、朝鮮半島侵攻のために、朝鮮人部隊を訓練し、ソ連軍に編入させます。この中に赤軍第八八特別狙撃旅団があり、金日成は第一大隊の六〇人を率いる、ソ連軍の大尉になりました。一九四五年八月九日、ソ連軍は日ソ中立条約を破って満州と朝鮮北部に攻め込みます。敗戦が決定的となっていたため、日本軍の反撃はほとんどなく、ソ連軍は抵抗されることなく北部朝鮮を占領したのです。しか

1946年当時の金日成

し、金日成の部隊は朝鮮侵攻に同行せず、ソ連の基地にいたのでした。

占領後のソ連にとって必要なのは、ソ連に忠実な朝鮮人でした。しかし一九三〇年代、共産主義インターナショナル（ソ連共産党の国際組織）に参加していた朝鮮人は、スターリンによって「日本のスパイ」とされ、大半が処刑されていました。つまり、つながりの強いはずの共産主義インターナショナルには、朝鮮に送り込める朝鮮人がいなかったのです。

このころ金日成はモスクワに呼ばれ、スターリンの面接を受けたとされています。九月一九日、ソ連の軍艦に乗り込んだ金日成は、朝鮮半島北東部の都市、元山に到着します。一〇月一四日、平壌で開かれたソ連解放軍歓迎平壌市民大会において、金日成は壇上に上がり、演説をします。この時の市民には「伝説の将軍、金日成」が登場すると伝えられていました。一九二〇年代から三〇年代においても、すでに抗日パルチザンを指揮した英雄とされていましたから、高齢の将軍をイメージしていた民衆は、三三歳の金日成を見て驚きます。会場では、「偽者だ」という声が相次いだといいます。

キーワード　白頭山

北朝鮮北部、中国との国境地帯にある標高二七四四メートルの火山です。古来より信仰の山とされ、抗日ゲリラの拠点でもあったことから、北朝鮮では「革命の聖地」とされています。

池上ポイント

●日本の無条件降伏の直前、ソ連は日ソ中立条約を破って日本に宣戦布告し、朝鮮半島に侵攻します。これは、日本と戦うというより、日本の撤退後をにらんでの行動でした。スターリンは、同じ連合国の枠にありながら、アメリカを恐れていました。ヤルタ会談で合意された朝鮮半島の信託統治が始まる前に、侵攻して足跡を残し、半島統治で不利にならないようにしたのです。

●朝鮮半島北部を制圧したソ連は、日本からの独立運動を行っていた活動家たちを中心に北朝鮮人民委員会を設立し、自治を任せることにします。人望の厚かった曺晩植が委員長に就任しますが、連合軍が朝鮮半島を信託統治することに反発し、ソ連によって軟禁された後、処刑されます。

●ソ連にとって望ましいのは、ソ連のいうことをきく朝鮮人が半島北部のリーダーになることでした。そこで白羽の矢が立ったのが、抗日運動を続け、ソ連に逃げ込んだのちにソ連軍の大尉になっていた金日成でした。

人民民主主義

一九四六年二月、ソ連軍の指導のもとで、北朝鮮の統治機構として、北朝鮮臨時人民委員会が結成され、委員長に就任したのが、金日成でした。

七月には、北朝鮮民主主義民族統一戦線が結成されます。「統一戦線」とは、ある目標に対してさまざまな団体が団結して運動を進めていくことで、ソ連が東ヨーロッパを共産主義化するのに用いた方法でした。

この統一戦線の名のもとに、北朝鮮領内の合法政党を集合させます。その政党が、共産党、新民党、民主党、青友党でした。「幅広い人民の意思を結集した民主主義組織」という建前です。共産主義を一気に持ち込むのではなく、あくまでも「人民」に「民主主義を」徹底させて、それを指導する共産党の支持を高めるのが目的です。そして将来的に、共産主義を浸透させていくというものでした。

民主主義を徹底させるのが建前ですから、北朝鮮領内にあった企業にかんしても、すべてを国有化するわけではないということになっていました。国有化するのは、日本人とその協力者が所有する企業に限るというものでした。しかし、植民地時代に日本とかかわりのない企業は存在しませんでした。その結果、ほぼすべての企業が国有化されたのです。

一九四六年二月には、北朝鮮臨時人民委員会の選挙が行われます。この選挙は小選挙区制で、立候補できるのは統一戦線に参加している政党員のみで、一選挙区に一人と決められました。つまり、誰かを選ぶのではなく、立候補者を委員として認めるか認めないかだけの投票でした。棄権は当局の方針に反対することを意味し、危険な行為でした。

投票所では、賛成と反対の箱が置かれ、そのどちらかに投票用紙を入れるようになっていました。つまり、誰が反対票を入れたかが、すぐにわかるので、そういう人もほとんどいませんでした。その結果、事前に当局に認められた候補者が、全員当選したのでした。

一九四七年一一月、臨時憲法制定委員会が発足し、憲法草案が作成されます。そして翌年の七月には人民会議で憲法案が承認されます。さらに国会にあたる最高人民会議の代議員が選出され、九月八日に憲法が制定されます。南部朝鮮では、南北統一を目指す運動が繰り広げられ、「済州島四・三事件」などの共産主義への弾圧が続くなか、北部ではソ連主導で、建国の準備が着々と進められていたのです。

朝鮮民主主義人民共和国の誕生

一九四七年一一月、国連総会は、「国連監視下で全朝鮮における総選挙を実施し、統一政権を樹立する」というアメリカの提案決議を採択します。これによって国連臨時朝鮮委員会がつくられ、朝鮮全土で民主的な選挙が行われるかと思われました。しかし、アメリカとソ連のにらみあいの中、南北の分断は、引き返せないところまでいっていました。

アメリカと李承晩は、南部だけの選挙実施に踏み切り、一方のソ連は、北部だけの憲法をつくっていたのでした。

一九四八年九月九日、朝鮮民主主義人民共和国の建国が宣言されました。首相に指名されたのは、金日成でした。そして副首相兼外相は、南朝鮮共産党の中心人物だった朴憲永でした。朴憲永は南北統一国家を目指して南部で活動していましたが、アメリカと李承晩の共産主義弾圧の体制下では活動は不可能だと判断して、北側に渡っていました。

ソ連は、金日成をトップに、朴憲永をナンバー2に置くことによって、南北を代表する正当な政府だとアピールしようとしたのでした。そして一〇月、北朝鮮が朝鮮半島の正統な国家であると承認します。一方で国連総会は、国連の監視下で自由選挙が行われたことを根拠に、大韓民国を朝鮮半島における唯一の合法政府として承認しました。

韓国に「建国神話」が必要だったのは、北朝鮮に「建国神話」があったからだと、韓国の章で述べました。つまり北朝鮮は、ソ連によってつくられた国ではなく、日本と戦って独立を果たしたのだということを、国の内外にアピールする必要があったのです。

金日成には、日本支配下の朝鮮半島でゲリラ戦を戦ったという事実があります。これを最大限利用して、建国神話を生み出し、金日成を神格化させていったのです。たしかに金日成は、抗日ゲリラ活動はしていましたが、日本軍に打撃を与えるような大きな成果はなく、ソ連に逃げ込んでいたのですが、それでは国民の信頼は得られないと考えます。そこで「偉大なる金日成将軍は、朝鮮半島に残り続けて日本軍と戦い、やがて日本軍を追い出した。そして半島を解放し、建国した」という神話にいきつくのでした。

コラム 「首領」と「将軍」

金日成(キムイルソン)が「首領」と初めて呼ばれたのは、一九四九年の朝鮮人民軍創設記念日でのことでした。首領は高麗(コリョ)時代によく使われた言い方で、最高あるいは最大の指導者という意味です。これ以降、国民からは「偉大(いだい)なる首領様」と呼ばれるようになります。

また朝鮮人民軍は、金日成(キムイルソン)が率いた抗日(こうにち)部隊が母体となったと強調されました。その隊員たちは金日成(キムイルソン)を「将軍」と呼び、行動を共にした隊員たちも英雄扱(えいゆうあつか)いされるようになりました。ですから、金日成(キムイルソン)と本人もそれを好んだようです。建国神話が金日成(キムイルソン)を持ち上げ、個人崇拝(すうはい)へとつながっていったのです。

朝鮮労働党

ソ連が北朝鮮を実質的に支配すると、半島の外にいた抗日(こうにち)活動家たちが帰国します。そして、活動拠点(きょてん)を中心に、いくつかの派閥(はばつ)が生まれます。たとえば、金日成(キムイルソン)は満州を拠点(きょてん)に活動し、ソ連に逃(に)げ込(こ)んでソ連兵になりました。このことから、金日成(キムイルソン)の一派は、満州派と呼ばれました。

その金日成(キムイルソン)の抗日(こうにち)ゲリラ活動時代に共に活動し、半島北部に残り続けたグループがあります。拠点(きょてん)が甲山(カプサン)郡にあったことから甲山(カプサン)派と呼ばれ、中心人物は朴金喆(パククムチョル)でした。初期の活動が同じだったことから、満州派に近い存在でした。

一九二〇年代から三〇年代にかけて、毛沢東が率いる中国共産党の支配に入った朝鮮人活動家たちがいました。帰国した彼らは、朝鮮北部では朝鮮新民党を、南部では南朝鮮新民党を結成します。中国共産党の拠点であった延安にいたことから、延安派と呼ばれました。代表的な人物は、金科奉、朴一禹でした。

また、ソ連に渡り、スターリン指導部の元でソ連国籍を得た人たちもいました。彼らはソ連派と呼ばれ、帰国後はロシア語の通訳など、ソ連指導部とのパイプ役を務めました。こちらの中心人物は、許哥誼、金鎔範です。

そして先ほども触れましたが、壊滅状態にあった朝鮮共産党が再建され、一九四六年には、朝鮮人民党と南朝鮮新民党といっしょになり、南朝鮮労働党が結成されます。しかし、アメリカ軍政と李承晩による徹底的な共産主義弾圧により、彼らの多くが北部に逃れました。これが朴憲永を中心とする、南労党派と呼ばれる派閥でした。

この南労党派以外の四つの派閥には、後ろ盾がありました。満州派、甲山派とソ連派にはソ連が、延安派には中国共産党がついていました。最大派閥であり、民衆の支持もあった南労党派でしたが、ソ連や中国という後ろ盾がなかったばかりに、しだいにその勢力をそがれていくのでした。

一九四六年、北朝鮮共産党は、朝鮮新民党と合併して北朝鮮労働党となります。委員長には延安派の金科奉が就任しますが、実権を握っていたのは、ソ連に後押しされた副委員長の金日成でした。さらに建国後の一九四九年六月、北朝鮮労働党は南朝鮮労働党と合流し、支配政党となる朝鮮労働党が結成されたのでした。

朝鮮戦争開戦前

北朝鮮の軍隊である朝鮮人民軍は一九四八年二月に創設されますが、その準備は一九四六年から始まっていました。

日本の撤退（てったい）後は、各地に自警団のような組織ができていましたが、ソ連軍のチスチャコフ大将は、すべての武装集団の解散を命令します。そのうえで、地域の人民委員会に保安部隊を組織することを命じました。この保安部隊が、北朝鮮の警察の基礎（きそ）になりました。

この保安部隊の組織化を指導したのが崔庸健（チェヨンゴン）でした。崔庸健（チェヨンゴン）は満州派で金日成（キムイルソン）と親しく、初代の朝鮮人民軍最高司令官になっています。

保安部隊に続き、軍の幹部を養成する学校も設立され、建国の前から、朝鮮人民軍が整えられていたのでした。

一九四八年一二月、ソ連は国連の勧告（かんこく）に従い、北朝鮮からすべてのソ連軍を撤退（てったい）させたと発表します。しかし、ソ連軍は兵士を撤退（てったい）させただけで、武器や弾薬（だんやく）をそのまま残していきました。ですから、ソ連がすべてを持ち去ったかどうかを調べたいと国連が申し入れたとき、金日成（キムイルソン）が拒（こば）んだのは当然のことでした。

一方で国連は、韓国に駐留していたアメリカ軍にも撤退を勧告します。李承晩は全面撤退に反対しますが、トルーマン大統領は軍事顧問団だけを残して、韓国から引きあげます。このアメリカ軍の撤退は、半島統一の機会を狙っていた金日成の目には、「アメリカが韓国を見放した」と映りました。

一九四九年から一九五〇年にかけて、金日成はたびたびモスクワを訪問し、スターリンに韓国攻撃の許可を求めます。朝鮮人民軍は韓国軍をはるかに上回っていて、三日あれば勝利できる、と訴えます。さらに副首相の朴憲永も、北からの攻撃が始まれば、アメリカの「傀儡政権」である韓国政府に不満を抱いている南の人民はすぐに立ち上がり、軍事統一はすみやかに成し遂げられるはずだと伝えます。

しかしスターリンは、アメリカを刺激したくなかったため、まだその時期ではないと、金日成の訴えに首

1949年、ソ連を訪問した金日成（前列右から5人目）

をたてに振りませんでした。

ところが、金日成にとって追い風となるような発言がとびだします。

一九五〇年一月、アメリカ国務長官のディーン・アチソンが、ワシントンのナショナル・プレスクラブで演説し、アメリカのアジアにおいての防衛線について語りました。そのアメリカが守るべき線とは、「アリューシャン列島、日本、琉球列島、フィリピンである」と言ったのです。これだけを聞くと、朝鮮半島も台湾も、アメリカの守るべき地域ではないともとれます。朝鮮半島で軍事行動が開始されても、アメリカは介入してこないのではないか、という憶測が芽生えます。

このアチソン発言は、たんなる失言で、朝鮮半島や台湾を言い忘れたという説もありますが、はっきりとしていません。しかしこの発言によって、金日成やスターリンが、「アメリカは介入しないかもしれない」と考えた可能性は十分にあります。

それでもスターリンが、軍事統一には中国の了解と支援が必要になると言うと、金日成はただちに中国を訪れ、毛沢東に会います。ここでも金日成は説得を試み、中国が認めればソ連も了承すると伝えます。

この時期の中国といえば、前年の一九四九年に中華人民共和国が建国されたばかりで、内戦で台湾に逃げた中国国民党との戦いも終わっていませんでした。経済を立て直すにも、ソ連からの支援を必要としていました。そのソ連が認めようとしているのなら、反対するわけにはいきません。こうして、スターリンも毛沢東も、金日成の韓国攻撃に許可を出すことになったのです。

じつは、韓国の李承晩も北朝鮮への攻撃を考えていました。李承晩はマッカーサーに対し、ソ連はいずれ金日成をけしかけて南に攻め込んでくるはずで、そのときを待って反撃し、一気に半島を統一したいと語っています。マッカーサーはこれに応え、「原爆の使用も辞さない覚悟でぶつかりましょう」と賛同しています。しかしアメリカ軍はすでに撤退し、北朝鮮軍を迎え撃つ準備は、まるで整っていませんでした。

朝鮮人民軍には、ソ連が残していった武器や弾薬がありました。T34戦車もそのうちの一つで、一五〇両あったものに、さらにソ連から追加されて二五〇両になっていました。また攻撃の直前には、演習を名目に人民軍が北緯三八度線の北側に集結します。さらに、工兵部隊が数か所でひそかに三八度線を越えて、韓国軍が敷設した地雷を撤去していました。こうして、韓国への不意打ちの準備が整ったのでした。

キーワード　傀儡政権

傀儡とは操り人形（くぐつ）のことです。ある地域を統治し、形の上では独立していますが、その実態は外部の政権に支配されている政権を傀儡政権と呼びます。つまり、北朝鮮は韓国政府を「自分たちの意思では何もできない、アメリカに操られている政権」と呼んだのです。

一九三二年、中国につくられた満州国は、日本の傀儡国家でした。

宣戦布告のない攻撃

一九五〇年六月二五日早朝、朝鮮人民軍は三八度線の一帯で一斉に砲撃を開始します。歩兵部隊の前を進軍したのは、ソ連製のT34戦車でした。不意打ちに加え、装備で圧倒的に不利な状態で、韓国軍は南へと後退するしかありませんでした。さらには、朝鮮人民軍には、一万七〇〇〇人もの中国からの援軍が加わっていました。中国の人民解放軍には朝鮮半島の出身者など、多くの朝鮮系兵士がいました。彼らが中国の装備ごと、前線に送り込まれていました。

朝鮮人民軍は戦車を先頭に、韓国軍を追って町や村を焼きはらいながら南下し、攻撃開始から三日で、韓国の首都であるソウルを占領したのでした。

開戦翌日の六月二六日、金日成はラジオを通じて全国民に演説します。ここで金日成は、「二五日、アメリカ傀儡政権の軍隊（韓国軍）が三八度線の全域で北部地域に攻撃を開始した。これに対して我が国の警備隊は勇敢に迎え撃ち、侵攻を挫折させた。そして人民軍に、反撃を開始して敵の武装力を掃討することを命じた。これは、祖国の統一と独立、自由と民主主義のための正義の戦いである」と述べたのです。つまり、韓国が先に攻撃を仕掛けてきたので、それに応じたと国民や海外に伝えたのです。

このとき日本でも、この発言を真に受けた人が多くいました。世界のメディアも「双方が、相手が先に攻撃してきたと主張している」という伝え方でした。真相が明らかになるのは、だいぶ経ってからのことです。

韓国を攻撃してもアメリカは介入してこないだろう、という金日成やスターリンの思惑に反して、アメリカのトルーマン大統領はすぐに軍事介入を決断します。六月二五日午後二時（アメリカ東部時間）に召集された国連安全保障理事会はアメリカの決議案を採択し、北朝鮮に対して敵対行為の即時中止と三八度線以北への軍の撤退を要求することを決めました。

さらに七月七日、国連軍の韓国派兵を決議し、アメリカを中心とする国連軍が朝鮮半島に送られることになったのです。

安保理事会の決議を拒否できるのは常任理事国ですから、ソ連はこのとき、国連軍の派遣を拒否できたはずですが、そうはなりませんでした。中国大陸において中華人民共和国が成立したにもかかわらず、台湾に逃げ込んだ中華民国が常任理事国のままだったことに抗議して、安保理事会をボイコットしていたのです。さらにはアメリカに対し、「ソ連政府は海外勢力による朝鮮への内政干渉は許されないという原則を固守する」と伝えていたのです。

これによってアメリカは、ソ連が北朝鮮を支援することはないと判断し、韓国支援に乗り出したのです。国連軍の最高司令官は、日本に滞在していたダグラス・マッカーサーでした。

コラム　ソウルの混乱

不意打ちとソ連軍の装備で、北朝鮮は攻撃開始の三日後にソウルを占領します。ところが開戦当日の夜には、李承晩大統領は「首都をソウルから大田に移す」と言っています。アメリカの駐韓国大使は、大統領は首都にとどまるべきだと説得しましたが、李承晩は「大統領が捕虜にならなければ、反撃の機会もある」と聞き入れませんでした。ソウルの北部で戦っている自国の軍を見捨てるかのような発言でした。そして二日後にソウルを脱出した李承晩は、大田を通り過ぎ、さらに南の大邱まで逃げてしまいます。さすがに逃げすぎたと思ったのでしょうか、その後大田まで戻っています。

またソウルに残っていた陸軍参謀総長は、朝鮮人民軍の突入の知らせが入ると、ソウルを脱出します。この時、人民軍の追撃を遅らせるために、ソウルの中心を流れる漢江にかかる橋を爆破します。しかし橋の上には、逃げ惑う多くの市民がいました。韓国軍は市民もろとも、橋を爆破したのです。

マッカーサーの作戦を読んでいた中国

三日でソウルを占領した朝鮮人民軍は、勢いのままに韓国軍を南へと追いかけます。アメリカをはじめとする国連軍の参加もありましたが、その応援部隊の多くは、日本に駐留していた実戦経験の乏しい新兵たちでした。開戦から約一か月後、朝鮮人民軍は韓国軍と連合国軍を半島南端の釜山まで追い詰めました。あと一息で、半島を占領するところまでになっていたのでした。

しかし、ここで韓国軍と連合国軍は必死の防戦をみせ、なんとか踏みとどまります。その一方で、朝鮮人民軍の補給路は伸び切り、兵士たちに食料や弾薬が届かない状態になっていました。飢えと兵器不足に悩まされるようになった人民軍では、兵士の脱走も相次ぎました。この状態に金日成は「八一号命令」というものを出し、戦場から逃げようとする者は、どんな位にあろうとも射殺するように前線に伝えます。食料も弾薬もなく、それでも人民軍兵士は前進して戦うしかなかったのです。

ここで国連軍がとった作戦が、仁川上陸作戦でした。釜山を包囲している朝鮮人民軍の背後に部隊を送り、釜山の内側と外側で挟み撃ちするというもので、その背後の部隊を上陸させるのがソウルの西側にある仁川でした。

じつは中国の毛沢東は、このときの戦況とマッカーサーの行動を優秀な部下に分析させ、マッカーサーならどういう行動に出るかを予測していました。その予測というのが、仁川に大部隊を上陸させ、人民軍を挟み撃ちにするだろうというものでした。毛沢東は、マッカーサーの作戦を読み切っていたのです。

この情報は金日成にすぐさま伝えられます。ところが金日成は、この中国の進言に耳を貸しませんでした。北朝鮮は戦車戦とゲリラ戦で韓国軍を追い詰めたのであり、これまで通りで勝てると判断したのです。さらに金日成は、この時点ですでに独裁体制を強めていて、たとえ中国であろうと助言を好まなかったようです。

中国が国連軍の作戦を見破っていたにもかかわらず、北朝鮮は手を打たないまま、国連軍の仁川からの上陸を容易にしてしまいました。その結果、人民軍はさらに補給路を断たれ、前後に敵を迎えて孤立し、ちりぢりになって北へ敗走することになりました。

コラム

南の人民は立ち上がらなかった

ソ連に開戦の許可を求める際、金日成は「人民軍が攻め込めば、アメリカの傀儡政権に反感を抱いている南の人民が立ち上がり、共に戦うはずだ」とスターリンに訴えました。同席していた朴憲永も、南朝鮮労働党は組織がしっかりしているから、武器を持って応じるはずだと伝えています。

しかし実際には、そうはなりませんでした。朝鮮人民軍が支配した地域では、人民軍に加わる義

わずかな所持品を持って避難する戦争難民(1951年)

勇兵の募集が行われましたが、それに応じるのはごくわずかでした。多くの住民は人民軍の攻撃を恐れて、南へと逃げて行ったのでした。

被害を拡大させた国連軍の追撃

北へ逃げる人民軍を追い、国連軍は三八度線を越えます。そして一〇月二〇日には、平壌を占領します。国連軍の追撃はとどまるところなく、人民軍はついに、中国との国境である鴨緑江付近まで追い込まれることになりました。

平壌を脱出し、中国に逃れていた金日成は、このままでは北朝鮮の消滅につながると、スターリンに参戦を求めます。しかし、スターリンはこれに応じることなく、中国に支援を求めるように助言します。スターリンは、あくまで朝鮮戦争との直接のかかわりを避けたのでした。

中国の毛沢東も、開戦前と同様に参戦に前向きではありませんでした。しかし、スターリンからの要請を断ることができず、一〇月八日、支援に踏み切ったのです。

しかし中国は、自国の人民解放軍をそのまま朝鮮半島に送ることはできません。そうなれば、中国が直接参戦したことになり、国際社会からの非難は免れられません。そこで、あくまでも北朝鮮を助ける「義勇軍」が募られたことにして、人民義勇軍を組織したのでした。この一〇〇万人もの部隊を指揮したのは、日中戦争や国共内戦を戦い抜いた彭徳懐でした。
一〇月一九日、人民義勇軍の第一陣が国境の鴨緑江を密かに渡ります。この部隊の作戦は、前進あるのみ。国連軍の正面から攻撃を加え、倒れた兵士を乗り越えながら次々と新たな部隊が突撃を繰り返すのでした。この人海戦術に、国連軍は後退せざるを得なくなり、一二月には占領していた平壌を明け渡し、さらに三八度線付近まで押し戻されることになりました。

朝鮮人民軍と人民義勇軍は、平壌を奪回した勢いを維持したまま、三八度線の南側に入り込みます。そして一九五一年一月、再びソウルを奪うことになったのでした。しかしここでも、補給の問題が浮かび上がります。北朝鮮側の戦線は伸びきっていて、物資が思うように届かず、さらなる南下は困難な状況になっていました。この間に態勢を整え、最新の兵器を調達した国連軍は反撃に出て、三月一四日にはソウルを奪い返します。

朝鮮人民軍と人民義勇軍は、三八度線付近まで後退し、膠着状態になります。

この戦争で朝鮮半島のほぼ全土が戦場になり、犠牲になった住民の数は、一五〇〇万人とも三〇〇〇万人ともいわれています。さらに戦火を逃れて韓国に難民となって移った人は、三〇〇万人にものぼりました。

それでも韓国の李承晩は、さらなる攻撃で半島の武力統一を成し遂げると主張します。しかし、アメリカは、国連の休戦会談の提案を受け入れるように説得します。このとき、原爆の使用も辞さないと発言していたマッカーサー最高司令官は、すでに解任されていました。

一方の金日成も、武力統一を訴え続けていましたが、被害が大きくなるにつれ、その考えをあらためざるを得なくなったようです。

こうして両国は国連の提案を受け入れ、一九五一年七月、休戦会談のテーブルに就くことになったのです。

キーワード　人民解放軍

中華人民共和国の正規軍で、正式名称は、中国人民解放軍です。一九二七年に中国工農紅軍として組織され、日中戦争の時代には、国民革命軍第八路軍（八路軍）、新編第四軍（新四軍）に改編されて日本と戦いました。一九四七年に人民解放軍となり、中国建国後は中国共産党の指導による軍となっています。

池上ポイント

- ソ連の指導のもと、金日成を中心に北部だけの独立準備が着々と進められます。一九四八年九月九日、朝鮮民主主義人民共和国の建国が宣言されました。しかし国連総会は、北部では自由な選挙が行われなかったとして、北朝鮮を合法政府として承認しませんでした。
- 朝鮮戦争は、米中ソの代理戦争という言われ方をするし、その側面もありました。しかし、開戦を主張したのは、韓国の李承晩（イスンマン）であり、北朝鮮の金日成（キムイルソン）でした。どちらも武力での半島統一が可能だと考えていました。アメリカもソ連も、まして中国もこの戦争には、乗り気ではなかったのです。

●宣戦布告のない不意打ちと、ソ連からもたらされた戦車や武器で、北朝鮮は韓国を圧倒（あっとう）します。韓国軍は半島南部の釜山（プサン）まで追い込（こ）まれ、あと一歩で朝鮮半島が北朝鮮に占領（せんりょう）されるところまでになっていたのです。

戦争責任という名の粛清（しゅくせい）

一九五〇年一〇月、中国が朝鮮戦争に加わることによって、北朝鮮は崩壊（ほうかい）を免（まぬが）れます。一二月には中朝連合司令部ができ、金日成（キムイルソン）は最高司令官になります。しかし、実質の権限は、副司令官の朴一禹（パクイル）にありました。

毛沢東（もうたくとう）とヨシフ・スターリン（1949〜50年頃（ごろ））

中国軍を指揮した彭徳懐は、金日成より延安派の朴一禹が、現場の指揮官としてふさわしいと判断したのです。
これは金日成にとっては、屈辱的なことでしたが、支援に乗り出してくれた中国に逆らうことはできず、戦線の後方で首相として政務に専念することになります。しかしこれが、権力を確実なものにするきっかけになったのです。

「三日あれば勝利できる」といってスターリンと毛沢東を説得した金日成でしたが、実際にはソ連と中国の支援がありながら、三年にも長引いた末の停戦でした。兵士だけでなく多くの犠牲を払い、さらに国土は荒廃しました。開戦は明らかな失敗で、その責任は、計画して実行にうつした金日成にあるはずです。

ところが、戦争の指揮をとらず、党内での足固めをしていた金日成は、その責任を次々とすりかえていきます。武力統一が成功しなかったのは、アメリカのスパイが北朝鮮にいたからだ、という理由をでっち上げ、ライバルたちを失脚させていったのです。

一九五三年、停戦の直前に朴憲永をはじめとする南労党派の有力者が、アメリカのスパイであり、党を分裂させようとしているなどとして逮捕されます。その後死刑判決が下り、朴憲永も党から除名されて処刑されます。

朝鮮戦争を現場で指揮した朴一禹は、一九五三年、中朝連合司令部の副司令官の職を解任されます。中国に認められ、強い立場に立ったことに、金日成は不満を抱いていました。事実上の失脚です。

また、ソ連派の有力者であった許哥誼は、戦争中に党書記から副首相に降格させられていました。そして、党内の混乱や戦争の責任を厳しく追及され、停戦の直前に自殺に追い込まれていました。自分にとって都合の悪い人物は、理由をこじつけて排除していく、というこのやり方は、ソ連のスターリンも同様でした。一方で、アメリカに認められた韓国の李承晩も、ライバルを蹴落としていくのは、同じ手段でした。

キーワード　粛清

厳しく取り締まって内部を清める、という意味ですが、政党や政治団体などで、その一体性を保つために反対意見や不満のある者を追放したり処罰したりすることをいいます。ソ連のスターリンや中国の毛沢東など、独裁的な権力者が行ってきました。

経済の立て直し

朝鮮戦争中のアメリカの空爆によって、平壌をはじめ、北朝鮮各地の都市は焼け野原になっていました。これを立て直すには、ソ連や中国の支援が不可欠でした。そして、その支援をもとに、どのように経済を構築していくかが重要になります。

第二次世界大戦後の日本は、鉄鋼業などの重工業を優先させ、立て直しを成功させます。しかしそこには、戦前から消費財を中心とする軽工業が発展し、重工業を支える基盤があったからこその成功でした。

ソ連はというと、スターリンの独断的指導によって、重工業を優先させ、経済は行き詰まりを見せていました。しかし、一九五三年にそのスターリンが死去すると、方針を変え、軽工業を重視するようになっていました。これに影響された北朝鮮のソ連派は、国の立て直しには、まず軽工業から始めるべきだと主張します。

ところが、アメリカの圧倒的な軍事力を知った金日成は、重工業を優先させて軍事力を高めようとします。ソ連派との意見の違いに、金日成は、党内に自分に逆らう集団があることをあらためて知るのでした。

いったんはソ連派の意見を受け入れて軽工業優先の政策をとった金日成でしたが、ソ連で重工業優先の勢力が力を増すと、国内のソ連派の力も弱まります。その結果、金日成は軽工業を優先させるのではなく、重工業との同時発展を政策の中心に置きます。国民の生活向上を二の次にしても、重工業を取り入れた経済成長を急いだのでした。

スターリン批判の影響

スターリンの死後から三年経った一九五六年、ソ連共産党大会において、フルシチョフ第一書記が「スターリン批判」の秘密報告をします。スターリン時代のソ連で、どのような恐怖政治が行われていたのかを暴露する内容でした。とりわけ衝撃を与え、批判の対象になったのが、ライバルや自分に従わない者を処刑した大粛清と個人崇拝でした。

この報告は公表されず、党の内部だけの秘密報告でしたが、党大会に参加していた北朝鮮の代表によって、本国に知らされました。当時の北朝鮮にとって、ソ連は後ろ盾であり、司令塔でした。その指導者とされていたスターリンを絶対的な存在だとしていた金日成にとっても、この内容は衝撃的でした。つまり、スターリンと同様に、自分も批判の対象になる可能性があることを知ったのです。

個人崇拝の批判報告を受けて、北朝鮮のソ連派は、金日成の個人崇拝が進められているとして、金日成の取り巻きを批判します。ところが金日成はこれを「宗教的陰謀」だとして、ソ連派の中心人物たちを降格させたり党から追い出したりします。さらに、北朝鮮での個人崇拝は朴憲永に対するものだと主張します。自分の政敵であった朴憲永に、個人崇拝という罪をなすりつけたのです。

追い込まれたソ連派は、金日成の個人崇拝の実情をソ連に訴えます。これに応えるようにソ連と中国は介入し、金日成にソ連派の処分を撤回させます。あからさまな政治介入でしたが、当時の北朝鮮が、ソ連や中国に頭が上がらなかったことがわかります。しかしその後も金日成は、ソ連派や延安派などの政敵を、次々と排除していきます。

結局金日成は、スターリンに学んだやり方を変えることはなかったのです。

増産運動と日本からの帰国運動

党内での政治的闘争を戦う一方で、金日成は経済発展によって自らの地位を固めようと、一大大衆運動を提唱します。それが「千里馬運動」です。朝鮮の伝説に、一日に千里を走るという千里馬（チョンリマともいう）があります。その千里馬の勢いにあやかって、大衆を鼓舞し、経済発展を促そうというものです。スローガンは「最大限の増産と最大限の節約」。革命的情熱に燃えた労働者たちは、五か年計画だった第一次運動の目標を二年半で達成します。この勢いを見た金日成は「朝鮮人民は遠からず、白米のご飯に肉のスープをとり、絹の服を着て、瓦屋根の家に住めるようになるでしょう。これは空想ではなく、明日の現実です」と演説します。さらなる増産を促すのです。

しかし、労働者たちがいくら競うように増産を重ねても、その「明日の現実」はなかなかやってきません。労働者たちはしだいに疲れて、効果は上がらなくなっていきます。

　この千里馬運動において、金日成が痛感したのが労働者不足でした。戦争で多くの兵士を失い、若い労働者が激減していました。そこで目をつけたのが、日本に暮らしている在日朝鮮人でした。

日本には、占領時代に労働力として日本に連れてこられたり、朝鮮戦争から逃れてきたりした朝鮮人が多くいました。朝鮮戦争後も日本に残り、仕事や家庭を持つようになった人も多かったのです。金日成は彼らを北朝鮮に帰国させ、労働力不足を補おうとしたのです。

この帰国運動が始まったのは、一九五八年八月でした。神奈川の在日朝鮮人たちが、北朝鮮に集団で帰国できるように求める運動を始めます。すると翌月、金日成首相（当時の肩書）の声明が発表されます。「帰国を熱烈に歓迎する」というものでした。

当時の日本では、北朝鮮の国内事情を知るてだてはほとんどありませんでした。ソ連や中国に影響を受けた、民主主義は通用しない専制国家だと推測されていましたが、一方で、医療も教育費も無償で「地上の楽園」とも宣伝されていました。この宣伝を担い、帰国事業を中心となって進めたのが、朝鮮総連（在日本朝鮮人総聯合会）という団体でした。朝鮮総連は、つねに北朝鮮からの指示に従って行動していました。

日本で差別を受けていた在日朝鮮人たちは「地上の楽園」という甘い言葉に誘われて、北朝鮮に渡っていきました。その数は九万人以上にも及び、在日朝鮮人と結婚した、日本人の妻や夫、子供も多くいました。

しかし、彼らを待っていたのは、労働と貧困、そしてあらたな差別でした。日本でも貧しい暮らしをしていた人たちが多かったのですが、祖国はさらに貧しく、「話が違う」と抗議すれば、連行されて消息を絶ちました。

この「帰国事業」は一九五九年から三年の中断をはさんで、足掛け二五年に及びました。

コラム　千里馬像

平壌の中心部、万寿台の丘に翼をつけた伝説の馬、千里馬の像が立っています。台座を含めた高さは四六メートルあり、一九六一年に千里馬運動の象徴として建てられました。千里というのは現在の距離で、およそ四〇〇キロメートル。平壌からですと、韓国南部まで達します。

平壌の千里馬像

ソ連と中国の板ばさみ

経済面で北朝鮮を支援したのは、ソ連と中国でした。援助金のみならず、石油や天然ガスを格安で送り、支払いができない場合は、北朝鮮の工業製品を受け取りました。しかし、朝鮮戦争は休戦状態で、韓国には国連軍（主にアメリカ軍）が駐留しています。北朝鮮にとっては、軍事面においても、両国の支援を必要としていました。

一九六一年、金日成はソ連を訪問し、「朝鮮民主主義人民共和国とソビエト社会主義共和国連邦間の友好、協力及び相互援助に関する条約」を結びます。つまりこれは、条約を結んだ相手国が軍事侵略を受けた場合、軍事的援助などを提供する、というものです。
続いて中国とも同様の条約を結び、これによって、韓国との休戦が破られたとしても、北朝鮮が孤立することはなくなりました。

しかしこの前後、ソ連と中国の間で、意見のくいちがいが見られるようになっていました。

一九五六年のソ連共産党大会で、ソ連は「平和共存路線」を採択します。この段階でアメリカもソ連も、多くの核兵器を保有していました。もし戦争になれば、双方が壊滅する可能性が高くなりました。この現実を考え、共存という路線を選んだのです。

これに対して中国が反発します。社会主義革命は全世界で推進していくもので、資本主義社会のアメリカと共存を求めるのは敗北だと考え、ソ連を激しく批判するようになったのです。ソ連もこの中国に反発し「中ソ論争」が生まれます。やがて「中ソ対立」に発展していきます。

中国はソ連を「修正主義」と批判し、ソ連は中国を「教条主義」と批判します。

この中ソ対立で困った立場に置かれたのが、北朝鮮です。ソ連からも中国からも支援を受けていた北朝鮮は、どちらの立場をとるのかを示さなければならなくなったのです。

一九六四年、中ソの対立が続く中で、北朝鮮はおそるおそる中国寄りの立場を表明します。これに対してソ連は、北朝鮮への支援を大幅に削減しました。その結果、北朝鮮の経済は大きな打撃を受けることになります。

しかし一九六六年以降は、中国の内部から北朝鮮を批判する声が出るようになると、北朝鮮も中国の「教条主義」を批判するようになります。この後、北朝鮮は、ソ連寄りでも中国寄りでもなく、双方（そうほう）の動きを見ながら中立の立場をとり、どちらからも援助（えんじょ）を引き出していきました。

キーワード　修正主義と教条主義

修正主義は、一八九〇年代、ドイツ社会民主党のベルンシュタインらが形づくったもので、マルクス主義を国の情勢などに合わせて修正を加えようとしました。しかし修正主義は、マルクス主義主流派からは、反革命だと非難されました。

一方の教条主義は、理論や主義を検証せずにやみくもに信じる態度をいい、修正主義側は何も変えようとしないマルクス主義主流派を教条主義だと批判しました。

「主体（チュチェ）」

政治、経済、軍事と、あらゆる面でソ連と中国に頼（たよ）っていた北朝鮮でしたが、その両国が対立状態になると、中立を示すためにも独自の路線が必要になってきます。ソ連式でもなく、中国式でもない、北朝鮮の社会主義思想。その中心になる概念が「主体」でした。

　金日成は、一九五五年の演説で「主体」という言葉を用いていますが、やがて四つの柱が定められ、具体化していきます。その四つの柱とは「政治における自主」、「経済における自立」、「国防における自衛」、「思想における主体」でした。

「政治における自主」が意味するものは、それまで干渉され続けていたソ連と中国に「北朝鮮のことはわれわれに任せてくれ」という宣言でした。また「経済における自立」とは、ソ連式の社会主義分業体制の拒否です。当時のソ連は「コメコン（経済相互援助会議）」を推し進めていました。つまり、社会主義諸国全体で、経済を発展させようというものでしたが、実際は、ソ連の周辺国をソ連の経済体制に組み入れようとするものでした。周辺国が下請けとなって部品をつくり、ソ連が完成品にするというもので、その結果、北朝鮮では部品しかつくれず、独自の計画経済は進まないことになります。金日成は、このやり方を拒否して、独自の経済発展を目指そうとしたのです。

「国防における自衛」は、ソ連や中国の軍事力に頼らないということです。これは、一九六二年に起こったキューバ危機がきっかけでした。社会主義体制を進めるキューバに、ソ連は密かに核ミサイルを配備しようとしますが、これが発覚します。アメリカのケネディ大統領は猛反発し、これを受けたソ連のフルシチョフは、キューバの頭越しにアメリカと妥協します。これを見た金日成は、いざというときにソ連はあてにならない、と感じたようです。

朝鮮戦争ではソ連の支援に助けられた北朝鮮ですが、もし北朝鮮の手の届かないところでアメリカとソ連が妥協すれば、北朝鮮を守れない可能性もでてきます。そこで「国防における自衛」が必要になってくるのです。現在の核兵器やミサイル開発も、この路線上にあるのです。

そして「思想における主体」は、ソ連でも中国でもない、我々独自の革命を成し遂げるということで、やがて「主体思想」として確立されていきます。さらにこの「主体思想」が、金日成への個人崇拝を強め、独裁体制が出来上がっていくことになるのです。

金日成の主体思想を学ぶ朝鮮人民軍兵士

具体的には、人間があらゆるものの主人公であり、すべてを決定するのも人間だと言っています。社会的存在である人間にとって、自主性は生命であり、人間は肉体的生命とともに社会的、政治的生命をもっている。そして、人民大衆が歴史の主体となり、その役割を果たすには、指導と結びつかなくてはならない。党は革命のための参謀部であり、領袖（金日成のこと）は労働者階級の最高指導者である。人民大衆がいかに革命的に意識化されて組織化され、いかに自己の革命任務と歴史的使命を成し遂げられるかは、党と領袖の正しい指導を受けるかにかかっている。

つまり、人間がすべての主体であるといいながら、党と領袖の正しい指導を受けてのみ「主体」になれる、といっているのです。

池上ポイント

- 中国の朝鮮戦争への参戦で崩壊を免れた北朝鮮でしたが、国土は戦争によって荒れ果て、何より復興が求められる状態でした。しかし金日成は、自分が始めた戦争の責任を政治的ライバルに押し付け、粛清していきます。
- 一九五六年、最大の後ろ盾だったソ連で「スターリン批判」が起こります。スターリンの個人崇拝が批判されたことに金日成は危機感を抱きます。そしてここで行ったのは、やはり、自分に批判的な政敵の粛清でした。ソ連でスターリンが批判されても、そのやり方を変えることはありませんでした。
- ソ連、中国と相互援助の条約を結んだ北朝鮮でしたが、そのソ連と中国の間に生じたのが「中ソ対立」でした。板ばさみになった北朝鮮は、ソ連でもなく中国でもない、独自の路線が必要になります。それが「主体思想」でした。

独裁に向けて

主体思想を確立していく過程で、金日成はさまざまな行動を起こします。その第一歩が、権力の集中でした。一九六六年一〇月の朝鮮労働党第二次党代表者大会で、金日成の「中央委員会委員長」という肩書は「総書記」にあらためられます。これは、委員の一人ではなく、委員会の上に立つ存在だというイメージを強めます。総書記となった金日成の生家は聖地とされ、平壌を訪れる国民や外国人観光客は必ず参観しなければならない場所になりました。

さらに一九六七年の党中央委員会総会では、党のナンバー2だった朴金喆を批判し、粛清します。朴金喆は甲山派の中心人物で、人民の信望も厚く、金日成にとっては、目の上の瘤のような存在でした。その朴金喆を修正主義者だと決めつけ、千里馬運動を妨害したとして追い詰めたのでした。

党内の上層部で、自分にとって危険だと判断した幹部を粛清すると、次は一般民衆でした。これは「集中指導作業」と呼ばれ、密告が奨励されます。党や指導部に批判的な人物を密告によって捕らえ、軽い罪に問われた場合は僻地に追いやられ、重い罪だと「労働教化所」といわれる強制収容所に入れられました。その数は、六万五〇〇〇人。さらに重い罪状だと逮捕か処刑が待っていました。この制度で逮捕及び処刑された国民は、およそ二五〇〇〇人といわれています。

思想統制においては、「唯一思想体系」というものが誕生します。これは、金日成の革命思想以外には、どんな思想も知らないという立場を守らなければならないというもので、そのための思想改革が行われました。これは「三大革命」と呼ばれ、「思想革命」、「技術革命」、「文化革命」が中心となりました。国民を「主体思想」に染め、技術革新を目指して働かせ、文化を革命的にしていくことを目指したのでした。

三大革命の過程で、北朝鮮の国民は、「成分」と呼ばれる、大きく三つの階層に分けられました。最上位にあるのが「核心階層」で、労働党党員、一九四五年八月以前に労働者や貧農民だった者、さらに朝鮮戦争で戦死した兵士の遺族などが、この階層になりました。

その次が「動揺階層」といわれ、この時点では労働者でも、一九四五年八月以前は中小企業の経営者だったり裕福な農民だったり、また朝鮮戦争中に韓国に逃げた者の家族などがこの階層とされました。「帰国事業」で日本から帰国した者もここに入れられました。

下位に位置するのが「敵対階層」です。かつての地主や資本家、キリスト教徒や仏教徒などで、監視の対象とされました。金日成は「核心階層」を使って「動揺階層」を弾圧し、それを「敵対階層」に見せつけることによって、体制を維持しようとしたのです。

このようにして北朝鮮国民は、しだいに「主体」のない恐怖政治の底に沈められていくのでした。

親子体制の始まり

一九七二年一二月、北朝鮮は憲法の改正を行います。それまでの憲法は、建国時に制定された「朝鮮民主主義人民共和国憲法」でしたが、これが「朝鮮民主主義人民共和国社会主義憲法」になりました。社会主義国家であることを正式に宣言し、国家組織も変更されます。金日成の絶対的な権力が確立しつつあることを示すものでした。

それまでは立法府である最高人民会議と、行政府である内閣で構成され、金日成は内閣の首相という立場でした。この内閣が政務院と改称され、新たに最高指導機関として「中央人民委員会」が設立されました。中央人民委員会のトップが国家主席で、この地位に金日成が就きます。これ以降、金日成主席と呼ばれるようになりました。

この時期、父親の力を背景に、党内で着実に地位を高めていたのが、長男の金正日でした。一九七二年には党の中央委員に選出され、さらに一九七四年の党中央委員会総会では、政治委員会委員に選出されています。

この際、金日成は、「息子は若いから、政治委員会に選ばれるのはまだ早い」と言います。すると政務院首相だった金一がこう発言したといいます。「金正日同志を政治委員に迎えることは、革命の要請であり全人民の熱望です。若いとおっしゃるが、主席も金正日同志と同じ年頃に、朝鮮革命を勝利に導いたではありませんか。革命の運命にかかわる問題なので、お考えをあらためていただきたい」

誰も逆らうことができない金日成主席に反論しているように見せながら、親心をくすぐるゴマすりでした。
こうして金正日は、国家のあらゆる政策にかかわるようになりました。

飢餓を招いた「主体農法」

金日成が打ち出した「主体思想」は、さまざまな分野で適用が求められました。農業においては「主体農法」という政策が推し進められます。食料の増産は、国民の生活の安定と経済発展には不可欠でした。しかしその内容はというと、素人同然の政策でした。

金日成の最初の指示は、耕地の拡大でした。ところが平野部はすでに田畑になっていましたから、耕地を増やすには山の斜面を段々畑にすることになります。一九七〇年代初めから、全国の山が削られ、段々畑に変えられていきます。農民はもちろん、学生や人民軍兵士まで動員しての大事業でした。

森林を伐採すると、山の保水力が失われます。そのためしっかりと石垣を築き、水をコントロールする必要があるのですが、そういう技術はありませんでした。さらにその段々畑に、そもそも不向きなトウモロコシを植えることが奨励され、不作が続きます。

一方、従来の田んぼでは稲作が行われていましたが、ここに「密植」をするようにとの指示が出されます。隙間なく苗を植えれば、それだけ生産量が増えるはずだという発想でした。密植はソ連のスターリンによって始められ、中国の毛沢東もこれを実践して失敗に終わった農法でした。当時は、ソ連も中国も、密植によって生産量が大幅に増大したと宣伝していたのです。

また田植えは、学生や兵士からなる「農村支援隊」が農村に行き、全国一斉に行われました。地域によって天候や気温が異なるにもかかわらず、指導部の指示は、全国一斉でした。これにより、適切な時期を逃した地域も生まれ、密植と重なって、コメの生産高は激減しました。

保水力のない山の斜面の畑では、日照りが続くと干ばつに見舞われます。そして大雨が降れば、洪水になりやすい状態になっていました。平野部に流れた土砂は田んぼを押し流し、さらにその土砂が川底にたまって氾濫が起こりやすくなりました。

徹底した個人崇拝により、国家の父親ともいうべき存在になっていた金日成の指示は絶対でした。これらの農法が誤りであると気づいた農民がいたとしても、「偉大なる首領様」の指示に口を出すことはできません。こうして指導部の誤った判断と独裁者への個人崇拝が、大々的な食料危機を招き、多くの餓死者を出すことになったのです。

コラム　中国の密植

中国の毛沢東は「大躍進政策」を打ち出し、そのなかで奨励されたのがコメの密植でした。そもそもはソ連のスターリンが小麦で行ったもので、マルクスの階級闘争理論を農業にあてはめたものでした。これは、稲を隙間なく植えると稲同士が団結し、協力し合って多く実らせるという非科学的なものでした。もちろんソ連では失敗したのですが、毛沢東はそれを知らず、中国でも失敗に終わります。ところがその中国も「密植は成功した」と伝え、金日成も真に受けて国民に奨励したのです。

日本人拉致事件

北朝鮮による日本人拉致は、あなたも聞いたことがあると思います。この大事件も、金日成に権力が集中したころから始まっていました。

一九七〇年代後半から八〇年代にかけて、日本各地で不可解な失踪事件や行方不明事件が多数発生しました。しかし当時は、各地の警察が単なる行方不明事件として捜査を進めるだけで、大きな進展はありませんでした。相次ぐ失踪事件について、外国の情報機関が関与している可能性があると新聞で報じられたのは、一九八〇年になってからのことでした。しかし、その後を追う報道もなく、警察も日本政府もそれを認めることはありませんでした。

一九八五年四月、日本人名義のパスポートを所持していた北朝鮮の工作員が、韓国のソウルで逮捕されます。この工作員の証言により、一九八〇年に宮崎県で行方不明になっていた原敕晁さんが、北朝鮮によって拉致されていたことが発覚します。北朝鮮の工作員が日本人になりすまして韓国に入国するため、日本人を拉致していたのです。

さらに一九八七年の大韓航空機爆破事件によって、北朝鮮の日本人拉致疑惑が大きく取り上げられることになります。航空機爆破の実行犯である金賢姫の証言により、日本人から日本語や日本の習慣などを学んでいたことがわかりました。金賢姫の描いた似顔絵をもとに日本で捜査を進めると、一九七八年に行方不明になっていた田口八重子さんであることがわかります。田口さんも北朝鮮の工作員によって拉致され、李恩恵という名前で北朝鮮に生存していたのです。

一九八八年、参議院の予算委員会で、共産党議員の質問に答え、梶山静六国家公安委員長が北朝鮮の関与を認める発言をし、拉致事件が政治問題化します。事件発生から一〇年ほども経ってからのことでした。しかしこれで拉致問題が解決に向けて前進したわけではありませんでした。

次々に出る証言や証拠をもとに、拉致被害者の家族は、国会議員や政府に安否確認と救出を求めますが、日本政府は動こうとしませんでした。日本と北朝鮮は、日朝国交正常化交渉を進めていて、日本政府は北朝鮮を刺激したくなかったのです。

しかしながら、北朝鮮の関与を示す証言を無視することができなくなった日本政府は、一九九一年に始まった日朝国交正常化交渉において、李恩恵という日本人についての調査を北朝鮮に求めます。しかし北朝鮮は、拉致はありえないと反発します。翌年の非公式協議でも調査を要請しますが、北朝鮮はさらに猛反発し、交渉は中断されます。ここから七年五か月、日朝国交正常化交渉は再開できませんでした。

一九九七年、韓国に亡命していた元北朝鮮工作員の安明進が、「行方不明になっている横田めぐみさんを北朝鮮内で見た」と証言します。これを受けた横田さんの家族は、実名を公表して救出運動を行うことを決断します。そして他の被害者家族とともに「北朝鮮による拉致被害者家族連絡会（家族会）」が結成されました。さらに国会議員の間でも、また民間レベルでも拉致被害者の救援を求める会が発足します。ここで日本の警察庁は、拉致の疑いがある事件のうち、七件一〇人を北朝鮮の拉致であると認定し、日本政府もこれを認めました。しかし北朝鮮は関与を否定し続け、北朝鮮赤十字会中央委員会の談話として、日本のいう一〇人は北朝鮮には存在しないと発表したのでした。

キーワード　工作員

工作員とは、敵の勢力範囲に密かに潜入して、情報収集や作戦行動などを行う人のことです。拉致や破壊活動、偽情報を流して敵を混乱させたりするのも、工作活動になります。スパイと混同されがちですが、スパイは敵の勢力内部に潜り込んで諜報活動を行う人で、敵の監視や価値のある情報を盗み出すのがスパイ活動です。

韓国へのテロ攻撃

朝鮮戦争の休戦後も、北朝鮮と韓国との間では軍事的緊張が続いていました。北朝鮮はしばしば武装ゲリラを送り込み、テロ活動によって韓国のかく乱を狙ったのです。

一九六八年一月、ソウルの韓国大統領官邸近くの峠道で、官邸を警備していた警察官が不審な集団を発見します。声をかけると集団は一斉射撃を開始し、駆けつけた韓国軍兵士も加わって銃撃戦になります。これにより、集団の三〇人が射殺されたりなどして死亡、一人が降伏して捕らえられました。

この集団は、北朝鮮の民族保衛部（当時）の部隊で、朴正熙大統領の暗殺を命じられていました。彼らは韓国軍の制服に身を包んで韓国領内に侵入していたのですが、通りかかった住民に「ソウルはどちらか」と尋ねたそうです。韓国軍がソウルの方角を知らないはずがなく、不審に思った住民が通報し、警察は警戒態勢をとっていました。官邸に接近したときには私服に着替えていましたが、警戒中の警察官に発見されたのでした。

この銃撃戦で、韓国側は警察官と兵士、巻き添えになった住民を含めて六八人が犠牲になりました。北朝鮮はこの銃撃戦を「韓国内の武装ゲリラが、各地で韓国軍を攻撃している」と報じ、あくまで韓国人の起こした事件だとして関与を認めませんでした。韓国の大統領官邸は「青瓦台」という名前であることから「青瓦台襲撃未遂事件」と呼ばれています。

この襲撃事件に、韓国の朴正熙大統領は激怒。報復を考えるように部下に命令します。そして、金日成暗殺部隊が創設されます。この部隊は通称「六八四部隊」と呼ばれ、高額の報酬で民間から集められました。彼らは目的を知らされないまま、仁川沖の実尾島で過酷な訓練を受けます。ところが一九七〇年以降、南北融和の動きが出始め、大韓民国中央情報部は一九七一年になって暗殺計画を撤回しました。

一九六八年の一〇月から一一月にかけて、韓国の東海岸に約一二〇人の北朝鮮兵士が上陸します。この部隊の侵入目的は、北朝鮮の思想を韓国住民に浸透させ、ここを工作拠点として、韓国をかく乱させようとするものでした。当時南ベトナムではベトナム戦争の最中で、南ベトナム解放戦線が民衆の支持を得ながら、政府軍やアメリカ軍に対してゲリラ戦を行っていました。

このことにヒントを得た金日成が、韓国でも同様のことが起こるかどうかを試したといわれています。北朝鮮部隊は住民たちを集め、男性は南朝鮮労働党に、女性は朝鮮社会主義女性同盟に加入するように求めました。住民の通報により韓国軍が駆けつけ、掃討作戦が展開されます。北朝鮮部隊の兵士一〇七人が射殺され、七人が捕虜になりましたが、韓国側も死者五七人、負傷者五六人を出しています。

コラム　実尾島事件

韓国の「六八四部隊」は、この部隊が編制された一九六八年四月にちなんで、このコードネームになりました。金日成暗殺のための訓練はあまりに過酷で、三一人の隊員のうち七人が訓練で命を落としています。

一九七〇年代に入ると、アメリカは中国、ソ連と緊張緩和を模索し始めます。その流れの中で、韓国と北朝鮮も対話での融和を目指す「南北共同宣言」を発表します。そうなると、金日成暗殺を狙った六八四部隊は、韓国政府にとって不都合な存在になります。部隊は秘密を守るために実尾島に閉じ込められ、暗殺を使命に訓練を続けてきた隊員たちの不満は募っていきます。

一九七一年八月二三日、六八四部隊の二四名は反乱を起こし、警備兵との銃撃戦の末に実尾島を脱出します。仁川でバスを乗っ取り、大統領に直接抗議するためにソウルに向かったのでした。

しかしソウル市内に入ったところで待ち受けた軍や警察と銃撃戦になり、最期は手榴弾で自爆しました。

これにより隊員二〇人、警察と民間人の八人が死亡しました。隊員のうち四人は生き残りましたが、軍法会議で死刑判決を受け、翌年に死刑になりました。

この事件は政府によって長く隠されてきましたが、民主化後に資料が明らかになり、二〇〇三年に公開された映画『シルミド』で多くの人が知ることになりました。二〇〇五年になって韓国政府はようやく調査に乗り出し、二〇〇六年に初めて事実関係を認めたのでした。

韓国以外でも

一九八三年一〇月、韓国の全斗煥大統領は、ビルマ（現在のミャンマー）を訪問していました。その歓迎式典は、首都ラングーン（現在のヤンゴン）にある国立墓地、アウンサン廟で行われました。この式典で、全斗煥大統領が到着する直前に、爆破が起こりました。三人の実行犯のうち一人は射殺され、二人が負傷して逮捕されましたが、この三人は北朝鮮の工作員で、全斗煥大統領の暗殺を計画していたことがわかります。大統領一行の到着が遅れたため、爆破に巻き込まれずにすみました。

当時のビルマは社会主義国で、北朝鮮と友好関係にありましたが、他国の大統領暗殺計画が、ビルマの建国の父であるアウンサンの墓前で行われたことに激怒し、ビルマは北朝鮮との国交を断ちました。

さきほど述べた、大韓航空機爆破事件が、一九八七年一一月に起きます。イラクのバグダッドからソウルに向かう大韓航空機が、ビルマ領空で空中爆発します。乗員と乗客一一五人全員が死亡しました。

その後、この航空機が経由したアブダビで、不審な男女が飛行機を降り、バーレーンにいることがわかります。二人とも日本のパスポートを持っていたことから、日本大使館員と地元の警察が身柄を確保します。事情聴取の直前、男は隠し持っていた青酸カリのカプセルを嚙んで自殺します。女も自殺を図りますが、警察官がこれを阻止しました。パスポートは偽造で、女の身柄は韓国に送られました。

取り調べの当初、女は「自分は日本人で蜂谷真由美だ」と言い張っていましたが、北朝鮮の工作員で金賢姫だということが判明します。二人の工作員の目的は、韓国の航空機を爆破し、翌年に控えたソウルオリンピックを妨害することでした。韓国は危険な国で、オリンピックの開催国としてふさわしくない、と印象付けようとしたのです。

後継者問題とソ連の崩壊

金日成にとって、革命継続のための心配事は、後継者問題でした。ソ連では、独裁者だったスターリンは、死の三年後に厳しい批判にさらされました。また中国では、毛沢東の後継者に指名された林彪でさえ、クーデターを企てたとされ、逃走中に飛行機の墜落事故で死亡しています。後継者に裏切られたり、死後に批判されて名誉が失われたりすることは、どうしても避けたかったはずです。

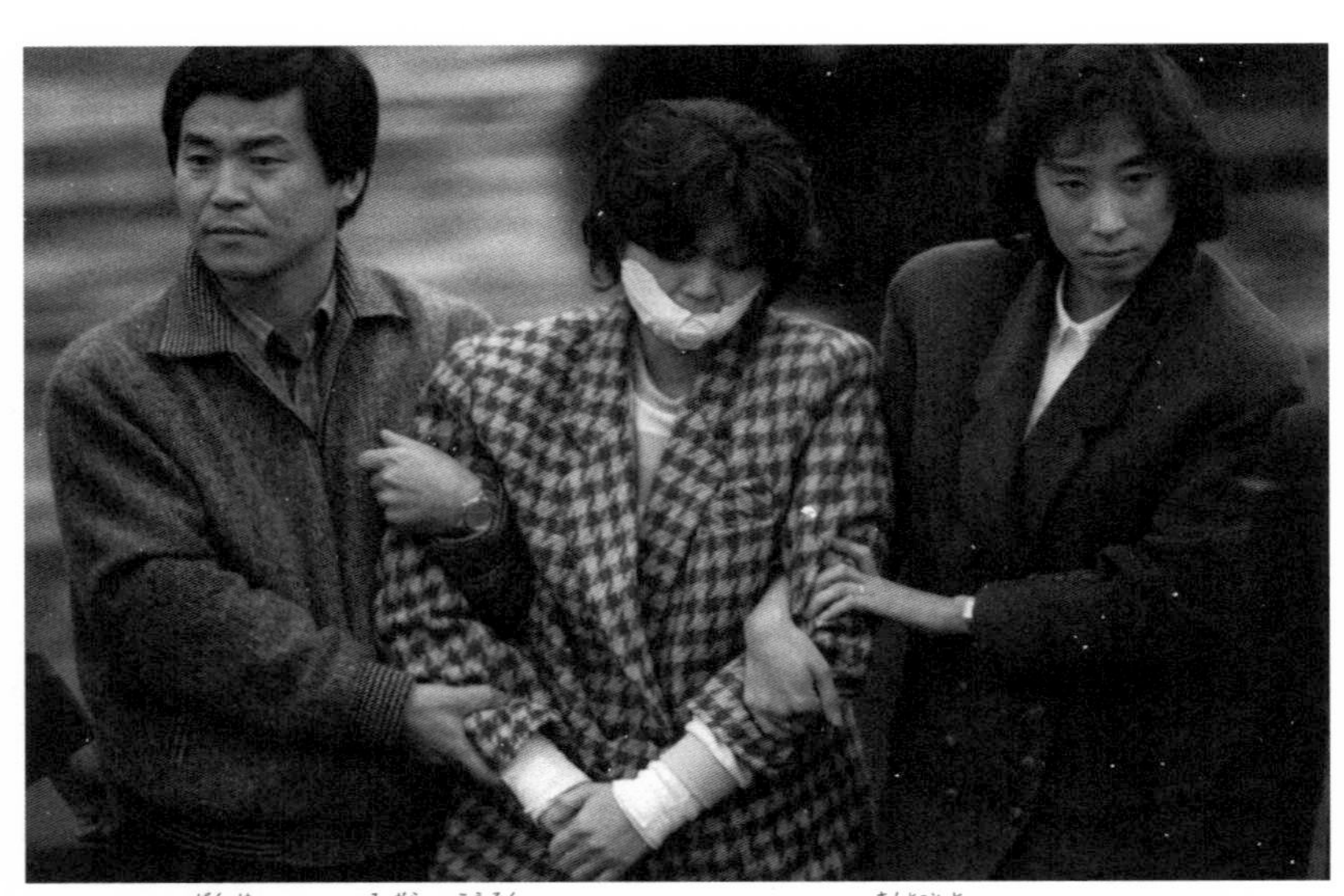

大韓航空機爆破事件で身柄を拘束され、ソウルに護送された金賢姫（1987年12月15日）

その一方で、金日成は、「息子を後継者にしたい」とは口にしていません。「最も優秀な人物で、最も首領に忠実な人物が後継者となるべきだ」と言い続けました。しかしながら、誰も逆らうことのできない首領様に対して、周囲はひたすら気をつかい、息子の金正日を持ち上げます。

一九七四年に政治委員会委員に選出された金正日は、さまざまな政策にかかわるようになり、父親の望むように行動していったのでした。また、金日成の七〇歳を祝うために主体思想を名称にとった「主体思想塔」や「凱旋門」を国費で建設します。後継者候補として、父親にゴマをすったのです。

一九九一年、ソ連が崩壊します。社会主義体制を守ろうとする守旧派によるクーデターの失敗が大きな原因でした。これにより、北朝鮮の経済は大打撃を受けます。

それまでは石油などを「友好価格」でソ連から買うことができ、現金がない場合も工業製品や農産物で支払うことが可能でした。しかし崩壊後のロシア共和国は、「友好関係はこれまで通りだが、支援は期待しないでほしい」という方針を明らかにします。「友好価格」ではなく、「国際価格」を要求されることになったのです。しかもその前年、ソ連は韓国と国交を結んでいました。北朝鮮をつくり、朝鮮戦争でも北朝鮮を支援したソ連が、敵国である韓国と手を結んだことは、北朝鮮にとって大きな裏切りに見えました。

さらに大きな問題は、北朝鮮が手本にした社会主義体制の崩壊でした。社会主義は腐敗した資本主義よりはるかにすぐれたシステムだ、と国民に訴え続けた北朝鮮でしたが、これがゆらぐことを恐れます。つまり、ソ連の崩壊は社会主義体制の失敗ではない、と国民を納得させることが必要になります。

そこで金日成と北朝鮮指導部が考え出したのが、次のようなロジックでした。

「社会主義国のソ連が失敗したのは、とんでもない指導者のゴルバチョフのせいだ。指導者が優秀でなければ、社会主義国も自滅してしまう。ところが、北朝鮮には、世界一偉大な将軍様がいる。最高指導者である将軍様に忠誠を誓い、導きに従えば、我が国がソ連のような道をたどることはない」

経済と思想の両面で追い込まれた北朝鮮でしたが、体制を維持していくには、国民に生活苦を押しつけ、思想で統制するしか方法はなかったのです。

一九九四年七月八日、八二歳の金日成が急死します。過労による心筋梗塞が死因だと発表されました。当時、韓国は南北融和政策をとり、金日成と金泳三大統領との初の南北首脳会談が計画されていました。しかし、金日成の死によって、この首脳会談は実現しませんでした。

葬儀は国葬として、金正日主導のもとに行われ、北朝鮮全土から大勢の国民が集まりました。

コラム　平壌の凱旋門

一九八二年四月に建てられたもので、そこは日本が朝鮮半島から撤退した直後の一九四五年一〇月、ソ連から帰った金日成がソ連解放軍歓迎平壌市民大会で演説した場所でした。パリの凱旋門を模したものですが、高さは六〇メートルで、パリの凱旋門より一〇メートル高くなっています。壁面には「金日成将軍の歌」の歌詞が刻まれ、革命を象徴する建物とされています。

池上ポイント

● 金日成は、独裁体制を固めるために党内のライバルを排除していきます。さらに国民を三つの階層に分け、役割をはっきりさせます。金日成は「核心階層」を使って「動揺階層」を弾圧し、それを「敵対階層」に見せつけることによって、恐怖政治を浸透させていきました。

● 主体思想に基づいて行われた事業で、とりわけ悲惨だったのが主体農法でした。樹木は切り倒され、保水力のなくなった山は水害を拡大させ、農作物の収穫量は激減しました。その結果、多くの餓死者を

金日成主席の国葬に北朝鮮全土から国民が集まった（1994年7月）

出すことになったのです。

- 北朝鮮が起こした日本人拉致事件でしたが、当初は日本の警察も政府もなかなか動こうとせず、その関連を認めたのは事件発生から一〇年も経ってからのことでした。
- 対立の続く韓国に対しても、北朝鮮はテロ攻撃をしかけます。国の内外に、韓国がいかに危険な国であるかを見せようとしたのでした。

苦難の行軍

金日成の死によってスタートを切ることになった金正日新体制ですが、まず直面したのが食料危機でした。一九九五年から一九九八年にかけて、天候不良や洪水が続き、農業は大打撃を受けていました。しかし原因は天災によるものだけでなく、「主体農法」という農業政策の失敗が重なってのものでした。

食料不足によって、多くの国民が餓死している、という情報が、国境を越えて流れてきます。一九九七年に北朝鮮から韓国に亡命した、朝鮮労働党書記だった黄長燁は「一九九五年に五〇万人、九六年に一〇〇万人が餓死したという報告を受けていた。九七年にも食料難が続いていたので、餓死した国民の数は三〇〇万人を超えるだろう」と言っています。

この危機的な状況を、金正日は「苦難の行軍」と呼びました。苦難の行軍とは、日本による朝鮮半島占領時代、旧満州で抗日運動をしていた金日成と仲間たちが、日本軍に追われながら雪の中を行軍したことを指しています。「建国の父である金日成も、厳しい状況を乗り越えたのだから、それにならって、国民もこの状況を耐えて乗り切れ」というのでした。

さらに金正日は、国家が危機に直面しているので、あらためて国民の思想や意識を調査する、といい出します。そのために「深化組」という部隊を組織します。この深化組の調査によるとして、金日成の側近に食料危機を招いた責任を問い、処刑します。さらに、党の組織指導部第一副部長だった張成沢を起用して、金日成時代の幹部や側近、その家族まで拘束し、処刑してしまいます。犠牲者の数はおよそ一万人、収容所や教化所（刑務所）に送られた数は一万五〇〇〇人にも及ぶといわれています。食料危機による国民の不満に乗じて、新体制に不都合な人物を家族まで含めて排除していったのでした。

先軍政治と核開発

一九九七年、金正日が朝鮮労働党総書記に就任すると、「先軍政治」、「先軍思想」というスローガンが登場します。これは、すべてにおいて軍事を優先させ、朝鮮人民軍を社会主義国家建設の主力とする思想です。ここには一九八九年に起きた中国の天安門事件や、同年のルーマニアの政権崩壊が教訓として生かされています。

天安門事件では、民主化を求める学生たちや若者を人民解放軍が蹴散らしました。政権を脅かすような勢力も、強い軍があれば弾圧できる。これを金正日は学んだのです。また社会主義国だったルーマニアでは、独裁者のチャウシェスク大統領とその夫人が、民主化を求める市民とそれに同調した軍隊によって処刑されました。これにより、軍隊を掌握することが、権力を維持する道だと理解したはずです。国民の生活よりも、経済の発展よりも大事なのが軍事。いかに独裁化が進み、国が硬直していたかがうかがえます。

そして先軍政治とともに北朝鮮が強調したのが「強盛大国」でした。軍事を増強させることによって、他国に干渉されない強大な北朝鮮をつくりあげていく姿勢を国民に浸透させようとしたのです。

北朝鮮の核開発への関心は、金日成時代からあったといわれています。その道を開いたのは、ソ連でした。一九五六年、北朝鮮はソ連と核技術協定を結び、科学者をソ連に送って核技術を学ばせます。その上で、一九六四年には、平壌から九〇キロほど北の寧辺に、ソ連の支援を受けて原子力施設の稼働を始めていました。一九八〇年には、研究用の原子炉の導入が進められ、ソ連型の「黒鉛炉」という種類の原子炉が建設されました。原子炉を運転すれば、使用済み核燃料が出ます。これを再処理してプルトニウムという物質を抽出すれば、核兵器の材料にすることができます。

この原子炉を引き渡すとき、ソ連は北朝鮮に核兵器不拡散条約（NPT）に加盟するように求めました。この条約は、成立したときの核保有国が、それ以外の国に核を持たせないようにするもので、北朝鮮は一九八五年に加盟しています。この時点での保有国は、アメリカ、イギリス、フランス、ソ連、中国でした。

この条約に加盟すると、核技術を軍事目的に転用していないかどうか、定期的に国際原子力機関（ＩＡＥＡ）の査察を受けることが義務になっています。ところが北朝鮮は、ＩＡＥＡの再三の要請にもかかわらず、査察を拒否し続けるのでした。

結局北朝鮮が査察を受け入れたのは、一九九二年になってからのことでした。それまでの七年間にプルトニウムの抽出を目指し、さらに査察の目をごまかそうとしていたのです。しかし、ＩＡＥＡは北朝鮮の隠ぺい工作を見破り、施設の査察を申し入れます。すると一九九三年、「ＮＰＴから脱退する」と言い出しました。核開発の発覚を逆手にとり、危機感を覚えたアメリカとの二か国の交渉に持ち込もうとしたのでした。

アメリカのクリントン大統領は、ＮＰＴから脱退させないように北朝鮮に働きかける一方で、最悪の状況を想定して、朝鮮戦争が継続された場合の計画を練り直します。これが「作戦計画五〇二七」と呼ばれるものです。休戦中の韓国の防衛はつねに計画にありましたが、これを攻撃的にして平壌を制圧し、北朝鮮の政権転覆まで視野に入れたものでした。

北朝鮮の国際社会への挑発は続き、日本海でミサイルの発射実験を行ったり、韓国との交渉でも「もし再び戦争になれば、ソウルは火の海になるだろう」と発言したりします。緊張の続く中、クリントン大統領は、全面戦争を避けるためには、限定的な空爆が必要であるとの結論に達します。そして「核計画を凍結しないならば、核施設を攻撃する」と北朝鮮に通告したのでした。

コラム 天安門事件

一九八九年五月、ソ連のゴルバチョフ書記長が中国を訪れることになりました。ゴルバチョフ書記長は、東欧諸国の民主化を容認し、アメリカとの関係改善にも動き出していました。この中国訪問も中ソ対立を終わらせて、新たな関係をつくり出すのが目的でした。

民主化を求める中国の学生たちは、ゴルバチョフ書記長の訪中を絶好の機会ととらえます。世界のメディアが注目する中で民主化運動を立ち上げれば、共産党も勝手なことはできないだろうと考えたのです。学生たちは、ゴルバチョフの訪中前から天安門広場に集まり、ハンガーストライキに入りました。

この時の共産党総書記は趙紫陽でしたが、ゴルバチョフとの会談で「鄧小平が引退したというのは表向きであって、共産党は常に鄧小平の指示に従っている。学生たちの民主化運動を動乱だと決めつけているのも鄧小平だ」と発言したのです。これは生中継されていて、全国に伝わります。これをきっかけに、人々は立ち上がります。天安門広場は、民主化運動を支援する人々で埋め尽くされました。

五月一九日、拡声器を手にした趙紫陽が天安門広場に現れ、学生たちに、冷静になってハンガーストライキをやめるように説得します。しかしこの直後、趙紫陽は失脚し、李鵬首相が党の代表になりました。

六月四日未明、天安門広場の電灯が一斉に消され、赤い信号灯が打ち上げられました。これを合図に、戦車や装甲車が天安門広場に突入しました。民主化を求める運動が、戦車によって踏みつぶされたのです。中国側の発表では、死者三一九人、負傷者九〇〇〇人でしたが、実際はそれよりはるかに多かったといわれています。

米朝枠組み合意

アメリカと北朝鮮の緊張を解くために名乗りを上げたのが、アメリカのジミー・カーター元大統領でした。カーター元大統領は、大統領の職を退任した後も、世界平和への貢献に意欲的でした。

一九九四年六月、カーター元大統領は北朝鮮を訪れます。金日成にとっても、アメリカとの二か国交渉の第一歩で、これを歓迎しました。ここでまとめられ、金日成の死後に結ばれたのが、「米朝枠組み合意」でした。

これによって北朝鮮はNPTからの脱退を撤回し、核施設の稼働停止と解体を約束します。その見返りとして、プルトニウムの抽出が困難な原子炉である軽水炉二基が北朝鮮に提供され、さらにその一基が完成するまでの間、年間五〇万トンの重油が送られることになりました。エネルギー供給源として軽水炉を建設し、完成までは重油を提供する。そのかわりに北朝鮮独自の核開発をやめさせる。これが合意の主な内容でした。

これにより、一九九五年三月、アメリカ、日本、韓国の三か国で「朝鮮半島エネルギー開発機構（KEDO）」が設立され、共同で軽水炉と重油が北朝鮮に届けられることになりました。

ＫＥＤＯ設立以前の一九九二年、北朝鮮は韓国との間で「朝鮮半島の非核化に関する共同宣言」に調印しています。両国ともに、核兵器の実験や製造、保有を禁止し、核は平和目的のみに利用することを宣言したのです。さらには一九九四年、アメリカと「核兵器の開発はせず、核兵器開発につながる核施設の運転は止める」と約束していました。

ところが、核開発を進めていたパキスタンから「北朝鮮がウラン濃縮の方法で核兵器を製造している」という情報がアメリカにもたらされます。この情報を確認するため、二〇〇二年一〇月にアメリカのケリー特使が北朝鮮を訪問したところ、北朝鮮側は情報が事実であることをあっさり認めます。

北朝鮮は、核兵器を開発しないことを韓国やアメリカと約束して、日本まで巻き込んで軽水炉と重油の提供を受けながら、その裏ではウラン濃縮による核兵器

1994年6月、北朝鮮を訪問して金日成と会談したカーター元大統領

の製造を進めていたのです。

二〇〇二年一二月、北朝鮮は凍結していた核施設の運転を再開すると発表し、国内に駐在していたIAEAの調査官を国外に退去させます。そして二〇〇三年一月には、NPTからの脱退を宣言しました。ロシアも中国も信用できなくなった北朝鮮は、核兵器を保有することによってアメリカを交渉の場に引き出し、直接交渉で自国の安全保障を確保したいと考えるようになったのです。

日朝首脳会談

北朝鮮の反発によって中断されていた日朝国交正常化交渉は、二〇〇〇年に再開されました。二〇〇二年九月には、小泉純一郎首相が平壌を訪れ、金正日国防委員長との日朝首脳会談が実現します。ここで金正日は、北朝鮮による日本人拉致があった事実を初めて認め、謝罪しました。しかし国家や自分がかかわったことは否定した上で、特殊部隊の一部が英雄主義にかられて行ったもので、その関係者はすでに処罰したと説明しました。

さらに日本側による被害者の安否確認に応じて、四人の生存と八人の死亡を発表します。さらに日本側が拉致被害者として認定していなかった曽我ひとみさんの生存を認め、横田めぐみさんは死亡したが娘は生存していると明かしました。

この発表を受けて、地村保志さんと富貴恵さん（旧姓濱本）夫妻、蓮池薫さんと祐木子さん（旧姓奥土）夫妻、曽我ひとみさんの五人が、ついに帰国を果たすことになりました。しかし、死亡されたとされる被害者の遺骨を調査すると、別人のものであることが判明し、日本側の不信感は募ります。

一方、この首脳会談では、両国は「日朝平壌宣言」に署名し、拉致問題の解決や日朝国交正常化交渉の開始などを約束します。そして二〇〇四年には、北朝鮮が平壌宣言を守ることを条件に、日本は経済制裁を行わないことを約束し、コメ二五万トンと一〇〇〇万ドルの医療支援をすることを発表しました。

二〇〇四年には、小泉首相が再び平壌を訪れて首脳会談が行われ、地村さんと蓮池さんの家族五人の帰国が実現しました。

この時期、北朝鮮は中国との関係が悪化し、食料不

日朝首脳会談での小泉首相と金正日国防委員長（2002年9月17日）

足も深刻な状態でした。日本人拉致を認めて謝罪し、国交正常化交渉を進めて、日本からの支援を引き出そうと考えたのでした。

これにより北朝鮮は「拉致問題は解決済み」と主張するようになります。しかし不十分な調査や不誠実な態度に、日本側も被害者の家族も納得していません。北朝鮮による拉致問題は、まだ終わっていないのです。

六か国協議（六者協議）

北朝鮮の度重なる裏切りに対応を迫られたアメリカですが、この時期は、アフガニスタンのタリバン政権を攻撃し、さらにはイラクも攻撃していました。その上さらに、北朝鮮に軍事的圧力をかけるほどの余裕はありませんでした。そこでブッシュ大統領は、これまで北朝鮮の後ろ盾であった中国を巻き込むことを考えます。中国を含めた複数国で協議の場をもうけ、北朝鮮の核開発を止めようとしたのです。

当初これに、中国は消極的でした。しかしアメリカは、北朝鮮が核開発を進めるならば、日本が核開発を考えたときに日本を止めることができなくなると、中国を脅します。これを受けた中国は多国間の交渉に参加することを決断し、北朝鮮、アメリカ、中国、ロシア、韓国、そして日本の六か国で協議を開始することになりました。

二〇〇三年八月、第一回の六か国協議が中国の北京で開催されます。しかし各国の思惑はそれぞれ異なるため、なかなか合意に至りません。二〇〇四年の第三回会合では、北朝鮮から「北朝鮮に対する敵視政策を放棄するならば、核兵器関連の計画を放棄する」という意向を引き出しますが、その翌年には、北朝鮮は「すでに核兵器を保有している」と宣言します。

その上で北朝鮮は、二〇〇五年九月の第四回六か国協議において、「すべての核兵器および既存の核計画」を放棄し、ＮＰＴに早期に復帰することを約束します。これは六か国協議における、初めての共同声明でした。ところが、二〇〇六年一〇月、北朝鮮は地下核実験を強行します。

つまり北朝鮮は、核開発の放棄を匂わせながら各国の経済制裁を解除させ、さらには緊急支援を得ます。そしてその間に、確実に核開発を行っていたのです。

二〇〇八年の第六回会合でも、北朝鮮はすべての核施設の無力化を約束し、支援の合意を取りつけます。核施設の停止計画書を議長国の中国に提出したため、アメリカは北朝鮮のテロ支援国家の指定を解除します。しかしここでも合意が守られることはありませんでした。二〇〇九年には「人工衛星の打ち上げ」と称して長距離ミサイルを発射し、一方的に六か国協議からの離脱を宣言しました。

独裁者の教訓

初の南北首脳会談や日朝首脳会談、さらには六か国協議と、話し合いの姿勢を見せた北朝鮮でしたが、そこで各国から最大限の支援を引き出す一方、約束は守らず核開発を進めていました。そこには、イラクとリビアの独裁政権崩壊から得た「教訓」がありました。

二〇〇三年、アメリカのブッシュ政権は、イラクのフセイン大統領が「大量破壊兵器」を開発し、保有しているとしてイラクを攻撃しました。アメリカの狙いはフセイン政権の打倒でしたが、もし核兵器を保有している確かな理由があれば、イラクは攻撃されなかったと金正日は考えたはずです。そして実際に、イラクは核兵器を持っていませんでした。

またリビアのカダフィ政権は、アメリカの説得により、核開発を放棄すると宣言します。これによってアメリカは、二〇〇六年、リビアの「テロ支援国家」指定を解除します。核開発をやめれば国交を正常化させる。これを「リビア・モデル」と呼んで、北朝鮮にも働きかけました。

ところが「アラブの春」によって反政府運動が活発になると、アメリカを含むＮＡＴＯ（北大西洋条約機構）は反政府勢力を支援し、カダフィは反政府勢力によって殺害されてしまいます。リビアもイラク同様、核兵器を持っていればＮＡＴＯ軍の出動はなかったはずで、カダフィ政権は生き延びたと金正日は思ったことでしょう。

独裁体制と金一族を守っていくためには、どんなことがあっても、たとえ経済制裁で国民が飢えるようなことになっても、核兵器を手放すことはできない。これが北朝鮮の最大の国家方針になったのです。

しかし二〇一一年一二月、金正日が死去します。心筋梗塞による突然の死だったことが報じられました。

父の金日成が死去したとき、金正日は後継者の地位を確立していました。しかし今回は、後継者の決まらないままの死去でした。

キーワード アラブの春

二〇一〇年、北アフリカのチュニジアで起こった民主化運動により、政権が崩壊します。チュニジアの国花にちなみジャスミン革命と呼ばれたこの政府転覆をきっかけに、アラブ諸国に反政府運動が広がりました。ヨルダンでは内閣が総辞職に追い込まれ、エジプトでも政権が崩壊しました。長く独裁体制を敷いていたリビアのカダフィ大佐も反政府勢力によって殺害されました。これら一連の民主化運動を「アラブの春」と呼びます。

池上ポイント

- 金日成の死によって権力を掌握することになった金正日でしたが、直面したのは食料危機でした。しかし、多くの餓死者を出したにもかかわらず、国民には我慢を求めました。さらに父親の側近だった幹部たちを排除し、自分のいうことをきく者だけを周囲に残して、不満を抑え込もうとしました。
- 金正日がスローガンに掲げたのが「先軍政治」と「強盛大国」でした。まず人民軍を整えて充実させ、それを国内外に示すことで、独裁体制を強化させようとしました。その延長上にあったのが、核開発とミサイル開発でした。

● 核開発が進んでいることを匂わせ、アメリカとの接近を図った末に「米朝枠組み合意」に達します。ここで北朝鮮は、朝鮮半島の非核化を約束し、各国の経済制裁の解除と多大なエネルギー支援を受けることになります。しかし、北朝鮮の約束が守られることはありませんでした。

● 後ろ盾である中国を巻き込んだ六か国協議は、北朝鮮の暴走を止める足がかりとして期待されました。しかし合意に至らず、北朝鮮は核の保有をあっさり認めて六か国協議から離脱しました。

金正恩体制の確立

金正日には三人の妻がいました。最初の妻との間には、長男の金正男がいました。二番目の妻との間には、金雪松という長女が生まれています。そして三番目の妻との間に、次男の金正哲、三男の金正恩、次女の金与正の三人がいました。

金正日が親子二代の体制を維持したことから、後継者も子供の中から選ばれる可能性が高いと見られていました。そうなれば、儒教思想の強い朝鮮半島で注目されるのは、長男の金正男のはずでした。

ところが金正男は二〇〇一年、シンガポールから日本に入国しようとしたところ、パスポートが偽造であることが発覚し、国外退去処分になっていました。取り調べに対して「東京ディズニーランドに行きたかった」と答えて失笑を買い、さらにその姿をメディアに撮影されて風貌が世界に知られました。これに金正日は激怒。後継者の可能性はなくなったと見られていました。金正男自身は後継者になることを望んでいなかったと伝えられていますが、二〇一七年、マレーシアのクアラルンプール空港で暗殺されます。三男の金正恩の指示によるものでした。

次男の金正哲は病弱であるといわれ、政治にも興味がなかったと伝えられていました。その結果、三男の金正恩が後継者として教育され、権力を掌握するための下地が築かれていたのでした。

金正哲、金正恩、金与正の母は、高容姫という大阪出身の在日朝鮮人でした。「帰国運動」によって家族で北朝鮮に渡り、万寿台芸術団に入団しますが、そこで金正日に見初められて愛人（後に三番目の妻）になります。ただ北朝鮮では、高容姫についてはほとんど報道されず、金正恩が金正日の三男であることも伝えられていません。

金正恩は一九九六年から「パク・ウン」という偽名でスイスに留学し、小学校、中学校時代を送っています。帰国後は、金日成軍事総合大学で学び、二〇一〇年の朝鮮労働党代表者会において、党中央委員に選出され、さらに党中央委員会総会で党中央軍事委員会副委員長に選出されました。

そして二〇一一年一二月、金正日が死去すると、その直後に朝鮮人民軍の最高司令官に就任します。この時、二七歳という若さでした。さらに翌年には、金正日を「永遠の総書記」として持ち上げ、新たに「第一書記」を創設して自ら就任します。また朝鮮労働党中央軍事委員会の委員長、国防委員会第一委員長にも就任。こうして党、軍、国家のすべてのトップに就いたのでした。

全権を掌握した金正恩は、二〇一二年四月、平壌での金日成生誕一〇〇周年を記念する軍事パレードを観閲し、金正日が推し進めようとした「先軍政治」と「核抑止力の保持」を強調する演説をします。金正恩の肉声が国内外に伝えられた、初めての演説でした。

繰り返される粛清

金正日が国のトップに立ったとき、まず行われたのが「深化組」という組織の創設でした。国民の思想や意識を調査するのが目的でしたが、その結果は、金日成時代の幹部や側近の粛清でした。表向きは食料危機や経済不安の責任をとらせるというのが理由でしたが、実際は、新体制に不都合な人物を家族ごと排除するものでした。

二〇一三年一二月、金正恩の後見人だと見られていた張成沢が処刑されたという衝撃的なニュースが飛び込んできました。張成沢は金正日の妹の夫で、金正恩の叔父にあたります。金正日の側近として、国防委員会副委員長、中央軍事委員会委員などの要職を務めました。また「深化組」を指導し、金正日による粛清に手を貸した人物でした。金正恩体制においても、若い第一書記を支える、実質的なナンバー2と見られていました。

その張成沢が党から除名され、すべての役職を剥奪されて死刑判決を受け、即日処刑されたというのでした。朝鮮中央通信は「張成沢を取り除き、その一党を粛清することによって、党内に新しく芽生える危険極まりない分派的行動に決定的な打撃を加えた」と報じました。発表された罪状には、職権乱用やデノミ政策の失敗の責任、クーデターを起こす可能性、政権転覆を狙ったなど、様々な罪があげられていました。いずれにせよ金正恩は、国情の不安定ななかで独裁体制を維持していくために、意見の対立する不都合な存在を排除したのでした。

さらに金正恩は、人民武力部長や朝鮮人民軍総参謀長なども解任します。いずれも金正日に忠誠を誓った国家の幹部でしたが、父への忠誠心より自分に忠誠を誓う者を周辺に置きたかったことがうかがえます。

国内の変化と挑発行動

第一書記に就任した金正恩が、新たな指導者として国民に見せたのは、夫人をともなって各地を視察する姿でした。遊園地では遊具を新増設し、自ら絶叫マシンに乗り込みました。

また自身が創設した牡丹峰楽団の公演を朝鮮中央テレビで放映します。そこで演奏されたのはアメリカ映画『ロッキー』のテーマ曲。さらにステージに登場したのは、ディズニーキャラクターそっくりの着ぐるみでした。北朝鮮では、アメリカの映画や文化は「敵性文化」として禁止されてきましたが、金正恩は堂々と国民に公開し、新しい指導者の側面をアピールしました。

　その一方で、「先軍政治」と「核抑止力の保持」を強調するかのように、世界に対して挑発行動を繰り返します。

　二〇一二年一二月には「人工衛星の打ち上げ」と称してミサイルを発射し、翌年には地下核実験を強行しました。さらに朝鮮戦争の「休戦協定」を白紙撤回すると韓国側に通告します。そして軍事境界線の板門店にある直通電話を遮断すると宣言したのでした。

　ただしこれは、休戦協定を破棄するとも直通電話を切断するとも言っていません。通常の米韓の軍事訓練に合わせて、言葉をエスカレートさせただけでした。しかしアメリカは、これを深刻に受け止め、B52戦略爆撃機を軍事演習に参加させると発表し、北朝鮮を脅します。

　これに対して北朝鮮は、アメリカを標的とする核ミサイルの用意があると、応酬します。挑発と脅しが繰り返されていくのです。

　二〇一六年からは「自強力第一主義」というスローガンがしばしば登場します。「自強力」について、朝鮮労働新聞では「自分のもの、自分の力が一番であるという信念を固くさせ、事大主義と民族虚無主義、輸入病のような不純な思想、不純なものを完全に根こそぎにする最も威力ある武器が自強力である」と説明しています。しかし国の経済が一向に回復しない状況で、スローガンで国民をまとめるのは一層困難になっていきます。

二〇一六年から二〇一七年にかけて、ミサイル発射実験や核実験を繰り返し、二〇一七年八月には北海道上空を通過して太平洋に落下する中距離弾道ミサイルを発射させています。しかし同年の一一月には「国家核武力の完成」を宣言し、ミサイルや核の実験は一時期、落ち着きをみせます。

金正恩の外交

金正恩が最高指導者として初の外遊先に選んだのは中国でした。二〇一八年三月、金正恩は特別列車で北京を訪れ、習近平国家主席と会談します。ただしこれは、金正恩が習近平に呼び出されたといっていいでしょう。

金日成にしても金正日にしても、何かあればすぐに頼ったのが中国でした。ところが三代目の金正恩は、最高指導者となって六年もの間、中国に挨拶に行くことさえありませんでした。しかもアメリカとの直接交渉を望んでいると伝えられていました。いらだった中国はしびれを切らして呼び出したのです。一方で金正恩は、この段階での中国訪問は、背後に中国がいることをあらためてアメリカに見せつけ、けん制することができると考えました。

この会談で、金正恩は「故金日成主席と故金正日総書記の遺訓により朝鮮半島の非核化に尽力することは、われわれの一貫した立場だ」と語ったといわれます。さらには「韓国と米国がわれわれの努力に善意で応え、平和と安定の雰囲気を作り出し、平和の実現に向けて段階的かつ歩調を合わせた措置を取るなら、朝鮮半島の非核化問題は解決可能だ」とも伝えられました。

つまり、北朝鮮は半島の平和に向けてさまざまな努力をしているが、それに韓国とアメリカがきちんと向き合って応えてくれるなら、核を放棄することも不可能ではない、といっています。核兵器と弾道ミサイルを手に入れた余裕と、アメリカへのアピールがうかがえます。この翌月には、韓国の文在寅大統領との南北首脳会談が予定されており、さらにはアメリカのトランプ大統領との米朝首脳会談も調整の段階に入っていました。

二〇一八年四月二七日、板門店において三度目の南北首脳会談が行われました。軍事境界線越しに握手をした金正恩委員長と文在寅大統領は言葉を交わし、金正恩は北朝鮮の最高指導者として初めて、韓国領内に足を踏み入れました。そして直後には、金正恩と文在寅は手をつないで軍事境界線を越え、北朝鮮領内に入ったのでした。

この会談で両国は、半島の完全な非核化を目標として努力をすること、朝鮮戦争の終戦を二〇一八年内に目指すこと、恒久平和に向けた、韓国、北朝鮮、アメリカの三者会談とさらには中国も含めた四者会談の開催を推進すること、過去の南北宣言とあらゆる合意を履行していくことなどが確認され、板門店宣言として発表されました。

初の米朝首脳会談

二〇一七年八月、北朝鮮は中距離弾道ミサイルの発射実験を行い、ミサイルは日本の上空を通過して太平洋に落下しました。これに対して国際社会は強く非難し、北朝鮮への経済制裁もより厳しいものになっていきます。

アメリカはオバマ政権時代、北朝鮮とは距離を置き続けてきました。

国際社会は、幾度となく北朝鮮に裏切られ、六か国協議も長期化した上に北朝鮮は離脱しています。オバマ大統領は過去の経緯から、北朝鮮が対話や交渉において信頼できる相手ではないと見なしたのでした。

しかし次期大統領に就任したトランプは、違っていました。北朝鮮と交渉し、もし朝鮮半島の非核化を実現させることができたら、歴史的な実績になるはずだと考えます。国際的に称賛され、国内においても、自分がオバマ大統領よりはるかにすぐれているとの証明になるともくろんだのです。

ただし、トランプ大統領が、就任直後から北朝鮮との外交に積極的であったわけではありません。繰り返されるミサイル発射実験に対し、二〇一七年には、北朝鮮を「テロ支援国家」に再指定しています。トランプは金正恩を「小さなロケットマン、病んだ子犬」と言ったのに対し、金正恩はトランプを「ならず者、ごろつき、言いたいことばかりを言う老いぼれ」と応酬し、まるで子供のけんかのようなやりとりは、世界をあきれさせました。

ところが二〇一八年、南北首脳会談の調整役となった韓国の高官が、金正恩がトランプに会いたがっていることを聞き、それをアメリカに伝えると、トランプ大統領はあっさり応じます。

二〇一八年六月一二日、トランプ大統領と金正恩朝鮮労働党委員長は、シンガポールで史上初となる米朝首脳会談を行いました。過去において、北朝鮮は「朝鮮半島の非核化」という韓国との約束を一度ならず破っています。ですからアメリカは、北朝鮮の「検証可能で不可逆的な」核開発の禁止を求めるであろうといわれていました。ところがトランプ大統領は、そういう条件提示もないままに、いきなり北朝鮮の体制の安全保障を約束してしまいます。結局、共同声明において「非核化に向けた断固として揺るがない決意を確認した」と述べられるにとどまり、具体的な内容は話し合われないままでした。

シンガポールで行われた史上初の米朝首脳会談（2018年6月12日）

二〇一九年二月には、ベトナムのハノイで二回目の米朝首脳会談が行われました。この会談では、閣僚も加わり、アメリカは具体的な条件として、核施設や弾道ミサイルと発射施設などの完全な廃棄を要求したといわれています。しかし北朝鮮は一部の施設の廃棄しか認めず、双方の隔たりは大きなまま交渉は決裂しました。

トランプ大統領は、この米朝首脳会談の成果をアピールしますが、朝鮮半島情勢に進展はなく、北朝鮮はその後もミサイル発射実験を繰り返します。

北朝鮮はミサイル発射実験で軍事力が確実に強化されていることを国民に示し、その一方で、再びアメリカを交渉の場に引き出すことを狙っています。二国間の協議によって、大きなダメージになっている経済制裁の解除につなげたいという考えです。

しかし次期のバイデン政権は、再び北朝鮮と距離を

ソウルの鉄道駅で報じられる北朝鮮ミサイル発射実験のニュース

置くようになっていて、金正恩の思惑通りにはなっていません。

中国とロシアの変化

建国以来、北朝鮮の後ろ盾になってきたのがロシア（ソ連）と中国でした。しかし二〇一〇年代後半から、世界は大きく変化します。それにともない、北朝鮮の周囲も変わっていきます。

二〇一九年から世界を襲った新型コロナウイルスに対し、中国は「ゼロコロナ政策」を打ち出します。つまり感染者をゼロにするのが目的で、ひとたび感染者が出れば、街や都市を完全に封鎖して新たな感染者を出さないようにしました。しかし感染者がゼロになることはなく、外出や移動の禁止が長期にわたり、国民も経済も疲弊していきました。国民の不満は抗議デモとなり、各地に広がります。対応に追われた習近平政権は、二〇二三年になって方針を転換し、「ゼロコロナ」を放棄しました。その結果、感染者が一気に増えることになりました。コロナ対策とそれにともなう経済の落ち込みへの対応で、中国は北朝鮮にかまう余裕がなくなっていきました。

二〇二二年、ロシアのプーチン大統領は、隣国のウクライナに攻撃をしかけ、戦争状態になります。EUやNATOに参加を望むウクライナの政権転覆が目的で、早期決着がプーチンの読みでした。しかしEU諸国やアメリカはウクライナを支援し続け、戦闘は長期化します。そういった状態では、ロシアの北朝鮮への支援は望めません。

西側と直接国境を引きたくないという思惑から、北朝鮮の建国と存続を支え続けた中国とロシアですが、その思いは変わらないはずです。しかし、それぞれの国の事情から、経済制裁の続く北朝鮮への一方的な支援は、変わらざるをえない状況になっていきました。

池上ポイント

- 親から子へと継承された北朝鮮の最高権力は、三代目の金正恩へと引き継がれます。その金正恩も金正日と同様に、父親の側近であった政府幹部を排除し、自分のいうことをきく人物たちで周辺を固めます。
- 金正恩体制では、南北首脳会談に続いて史上初の米朝首脳会談が行われ、対話に積極的であるかのように見えました。しかし韓国の文在寅大統領は、北朝鮮に対して柔軟な姿勢を示し、米朝の接近に手を貸すことで政権の存在感をアピールするにとどまりました。アメリカのトランプ大統領も、首脳会談が自身の実績になることを計算した行動で、結局どちらの首脳会談も目に見えるような成果はありませんでした。
- 金正恩は、韓国を仲介にしてアメリカに接近し、アメリカとの二か国間で、経済制裁の解除などを交渉するつもりでした。しかし交渉は決裂。韓国でもアメリカでも政権が交代した後は、以前と同様にミサイル発射実験などを繰り返して国際社会を挑発し、アメリカの気を引こうとするのでした。

韓国語（朝鮮語）であいさつしよう

朝鮮半島で使われている言語は、韓国では韓国語、北朝鮮では朝鮮語と呼ばれています。

分断後、それぞれの言語は多少変化していきますが、元は同じですから基本的に大きな差はありません。

ハングルは韓国語（韓国）と朝鮮語（北朝鮮）を表記するための文字で、日本語ではひらがなやカタカナ、英語ではアルファベットに相当します。

かつて朝鮮では、言葉の表記には中国から伝わった漢字が使われていました。しかし漢字は文字の数が膨大で、習得も難しいので、読み書きができるのは、ごく一部の地位の高い人たちだけでした。そこで、簡単に習得できる文字を作り、庶民も読み書きができるようにしたのが、朝鮮王朝第4代王の世宗大王でした。

世宗大王は集賢殿という機関に朝鮮語の音を表記する文字をつくることを命じ、1443年にハングルが完成しました。そして1466年に書物の『訓民正音』で公布されました。訓民正音は「民を訓（おし）える正しい音」という意味です。しかし上層階級の人々は、自分たちが使ってきた漢字が正当な文字であるという意識が強く、ハングルは長く「諺文」と呼ばれ、下層階級の文字だとされ、広く使われることはありませんでした。

1894年、第26代王の高宗の勅令により、ハングルは国が定める文字として認められますが、当初は漢字と組み合わせて、日本語のひらがなのように使用されました。

日本統治時代は、学校の増設にともなって積極的に教育に用いられるようになりますが、アジア・太平洋戦争に突入すると、日本の皇民化政策によって朝鮮語の教育が禁止され、ハングルの使用も制限されるようになりました。その一方で、民族主義が高まりを見せると、その意識の象徴としてハングルが重んじられるようになったのです。戦後は韓国でも北朝鮮でも漢字を排除するようになり、朝鮮の文字はハングル中心になりました。

ハングルは19の子音字（初声）、10の母音（中声）、11の複合母音、そしてパッチム（終声）と呼ばれる音節末にくる子音字の組み合わせで構成される表音文字です。組み合わせのパターンは次のページの6つです。

ハングルの組み合わせパターン

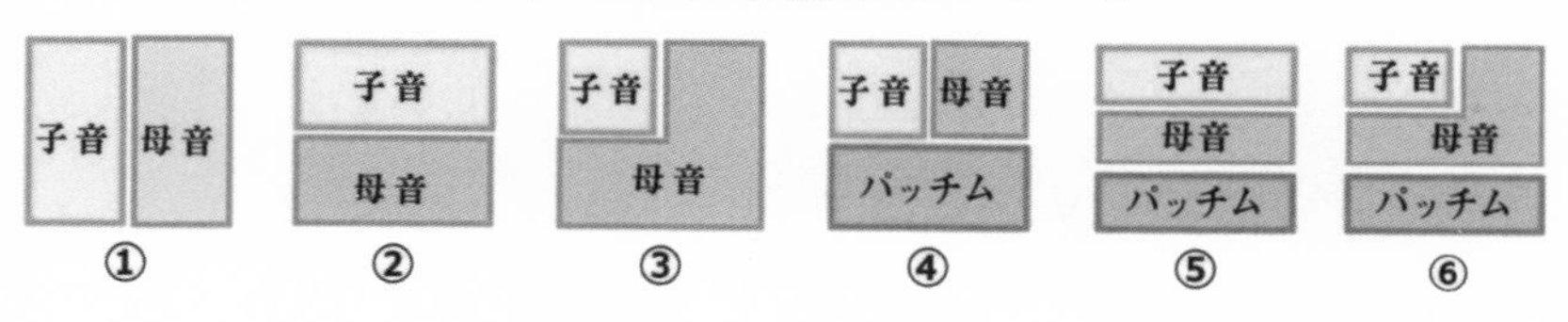

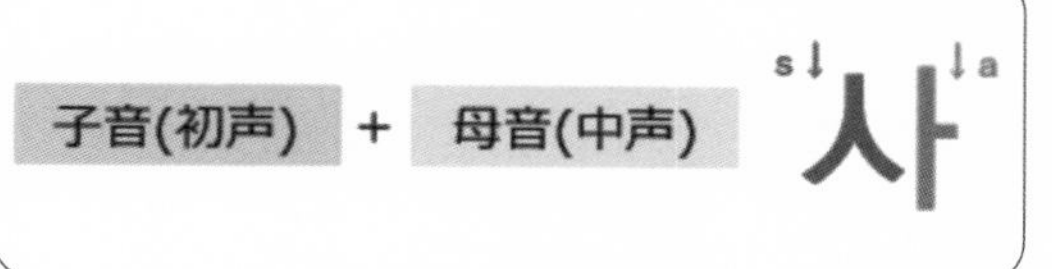

例えばこれは①のパターンで、子音の「ㅅ」と母音の「ㅏ」を組み合わせたもので「サ」の発音になります。

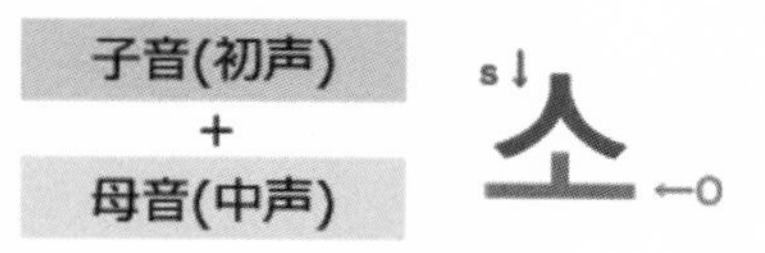

これは②のパターン。子音の「ㅅ」と母音の「ㅗ」を組み合わせて「ソ」の発音になります。

「사」(サ)にパッチム(終声)の「ㄴ」がつくと④のパターンで「サン」の発音になります。

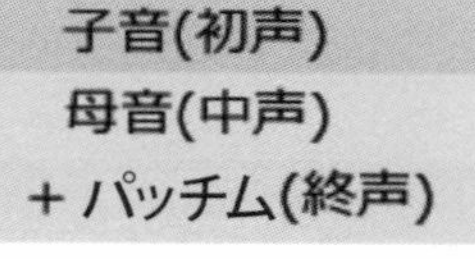

これは⑤のパターンで、「소」(ソ)に「ㄴ」がついて「ソン」になります。

ハングルの子音と母音の組み合わせを表にしたものを「半切表(はんせつひょう)」といいます。これを見れば、どの文字がどう発音されるのかがわかります(→236ページ)。

基本半切表

母音 子音	ㅏ (a)	ㅑ (ya)	ㅓ (eo)	ㅕ (yeo)	ㅗ (o)	ㅛ (yo)	ㅜ (u)	ㅠ (yu)	ㅡ (eu)	ㅣ (i)
ㄱ	가	갸	거	겨	고	교	구	규	그	기
	カ/ガ	キャ/ギャ	コ/ゴ	キョ/ギョ	コ/ゴ	キョ/ギョ	ク/グ	キュ/ギュ	ク/グ	キ/ギ
ㄴ	나	냐	너	녀	노	뇨	누	뉴	느	니
	ナ	ニャ	ノ	ニョ	ノ	ニョ	ヌ	ニュ	ヌ	ニ
ㄷ	다	댜	더	뎌	도	됴	두	듀	드	디
	タ/ダ	テャ/デャ	ト/ド	テョ/デョ	ト/ド	テョ/デョ	トゥ/ドゥ	テュ/デュ	トゥ/ドゥ	ティ/ディ
ㄹ	라	랴	러	려	로	료	루	류	르	리
	ラ	リャ	ロ	リョ	ロ	リョ	ル	リュ	ル	リ
ㅁ	마	먀	머	며	모	묘	무	뮤	므	미
	マ	ミャ	モ	ミョ	モ	ミョ	ム	ミュ	ム	ミ
ㅂ	바	뱌	버	벼	보	뵤	부	뷰	브	비
	パ/バ	ピャ/ビャ	ポ/ボ	ピョ/ビョ	ポ/ボ	ピョ/ビョ	プ/ブ	ピュ/ビュ	プ/ブ	ピ/ビ
ㅅ	사	샤	서	셔	소	쇼	수	슈	스	시
	サ	シャ	ソ	ショ	ソ	ショ	ス	シュ	ス	シ
ㅇ	아	야	어	여	오	요	우	유	으	이
	ア	ヤ	オ	ヨ	オ	ヨ	ウ	ユ	ウ	イ
ㅈ	자	쟈	저	져	조	죠	주	쥬	즈	지
	チャ/ジャ	チャ/ジャ	チョ/ジョ	チョ/ジョ	チョ/ジョ	チョ/ジョ	チュ/ジュ	チュ/ジュ	チュ/ジュ	チ/ジ
ㅊ	차	챠	처	쳐	초	쵸	추	츄	츠	치
	チャ	チャ	チョ	チョ	チョ	チョ	チュ	チュ	チュ	チ
ㅋ	카	캬	커	켜	코	쿄	쿠	큐	크	키
	カ	キャ	コ	キョ	コ	キョ	ク	キュ	ク	キ
ㅌ	타	탸	터	텨	토	툐	투	튜	트	티
	タ	テャ	ト	テョ	ト	テョ	トゥ	トュ	トゥ	ティ
ㅍ	파	퍄	퍼	펴	포	표	푸	퓨	프	피
	パ	パャ	ポ	ピョ	ポ	ピョ	プ	ピュ	プ	ピ
ㅎ	하	햐	허	혀	호	효	후	휴	흐	히
	ハ	ヒャ	ホ	ヒョ	ホ	ヒョ	フ	ヒュ	フ	ヒ

二重子音の半切表

母音 子音	ㅏ	ㅑ	ㅓ	ㅕ	ㅗ	ㅛ	ㅜ	ㅠ	ㅡ	ㅣ
ㄲ	까	꺄	꺼	껴	꼬	꾜	꾸	뀨	끄	끼
	カ	キャ	コ	キョ	コ	キョ	ク	キュ	ク	キ
ㄸ	따	땨	떠	뗘	또	뚀	뚜	뜌	뜨	띠
	タ	テャ	ト	テョ	ト	テョ	トゥ	トュ	トゥ	ティ
ㅃ	빠	뺘	뻐	뼈	뽀	뾰	뿌	쀼	쁘	삐
	パ	パャ	ポ	ピョ	ポ	ピョ	プ	ピュ	プ	ピ
ㅆ	싸	쌰	써	쎠	쏘	쑈	쑤	쓔	쓰	씨
	サ	シャ	ソ	ショ	ソ	ショ	ス	シュ	ス	シ
ㅉ	짜	쨔	쩌	쪄	쪼	쬬	쭈	쮸	쯔	찌
	チャ	チャ	チョ	チョ	チョ	チョ	チュ	チュ	チュ	チ

あいさつをおぼえよう

はじめまして

처음　뵙겠습니다

チョウム　ペッケッスムニダ

＊「처음（チョウム）」は「初めて」で、「뵙겠습니다（ペッケッスムニダ）」が「お目にかかります」という意味です。

私は○○と申します

저는　○○라고　합니다

チョヌン　○○ラゴ　ハムニダ

＊「저는（チョヌン）」が「私は」で、「라고　합니다（ラゴ　ハムニダ）」が「と申します」になります。

おはようございます、こんにちは、こんばんは

안녕하세요

アンニョンハセヨ

＊「안녕（アンニョン）」の元の漢字表記は「安寧」で、友達同士ならば「アンニョン」だけで「おはよう」、「やあ」、「バイバイ」などの意味で使えます。ただし年上の人に対してはていねいな「アンニョンハセヨ」を使います。

日本から来ました

일본에서　왔습니다

イルボネソ　ワッスムニダ

＊「일본에서（イルボネソ）」が「日本から」で「왔습니다（ワッスムニダ）」が「来ました」になります。

＊ちなみに「日本」は「일본（イルボン）」で、「韓国」は「한국（ハングク）」、「大韓民国」は「대한민국（テハンミングッ）」です。「北朝鮮」は「북한（プッカン）」で、「朝鮮民主主義人民共和国」は「조선민주주의인민공화국（チョソンミンジュジュイインミンコンファグッ）」と表します。

ありがとうございます

감사합니다

カムサハムニダ

＊「감사（カムサ）」は「感謝」の意味で、直訳（ちょくやく）では「感謝します」になります。

日常会話をおぼえよう

はい >>> 네 ネ ／ 예 イェ

いいえ >>> 아뇨 アニョ ／ 아니요 アニヨ

良いです、了解です >>> 좋아요 チョアヨ

＊SNSでの「いいね」もこれを使います。

わかりません >>> 모르겠습니다 モルゲッスムニダ

さようなら >>> 안녕히　가세요 アンニョンヒ　カセヨ

＊相手を見送るときに使います。

さようなら >>> 안녕히　계세요 アンニョンヒ　ケセヨ

＊同じ「さようなら」ですが、こちらは自分が去っていくときに使います。

いただきます >>> 잘　먹겠습니다 チャル　モクケッスムニダ

＊「잘 チャル」は「よく」で、よく食べますという意味です。

ごちそうさま >>> 잘　먹었습니다 チャル　モゴッスムニダ

＊こちらは、よく食べました、という意味になります。

おいしいです >>> 맛있어요 マシッソヨ

辛いです >>> 매워요 メウォヨ

池上彰

ジャーナリスト。1950年長野県生まれ。慶應義塾大学卒業後、1973年にNHK入局。松江放送局、広島放送局呉通信部を経て、報道局社会部。警視庁、文部省(当時)などを担当し、記者として経験を重ねる。1994年から11年にわたり「週刊こどもニュース」のお父さん役として活躍。2005年にNHKを退職し、フリージャーナリストに。2012年より東京工業大学リベラルアーツセンター教授を務め、現在は特命教授。2016年より名城大学教授。「そうだったのか!」シリーズ(集英社)、『池上彰の君と考える戦争のない未来』(理論社)、「池上彰の世界の見方」シリーズ(小学館)等、著書多数。

編集協力:木葉篤

池上彰の若い読者のためのアジア現代史
①大韓民国・朝鮮民主主義人民共和国

2024年1月15日　初版発行

著者　池上彰
発行者　山浦真一
発行所　あすなろ書房
〒162-0041 東京都新宿区早稲田鶴巻町551-4
電話 03-3203-3350(代表)
印刷所　佐久印刷所
製本所　ナショナル製本
 ISBN978-4-7515-3177-8 NDC221 Printed in Japan